春联挥毫必备

赵孟頫楷书集字春联

沈菊 编

上海书画出版社

《春联挥毫必备》编委会

出版说明

『爆竹声中一岁除，春风送暖入屠苏。千门万户曈曈日，总把新桃换旧符。』王安石的《元日》诗描绘了一幅宋代的春节风俗图：燃爆竹、饮屠苏酒、换桃符。然而，早在一千年前的五代后蜀孟昶那里，桃符已以一副书为『新年纳余庆，嘉节号长春』的春联悄悄改变了形式与内涵：鲜艳的红纸取代了长方形桃木板，吉祥的联语取代了『神荼』、『郁垒』的名字或画像，其寓意也由原来的驱邪避灾转向了求安祈福。春节是我国农历年中第一个也是最重要的传统节日，春联在辞旧岁迎新春的同时，也渗进了农业社会人们朴素的生活理想：国泰民安、人寿年丰、家庭和睦、事业顺利。春联对仗的联语不仅是文字的精妙组合与书法的多样呈现，更是人们美好生活祈向的承载。这些生活祈向，虽然穿越古今，却经久不衰，回荡在一代代人的内心深处。作为这些生活祈向的载体，作为从古代派往现代的使者，春联的命运也同样历久弥新。无论大江南北、农村城市，抑或雅俗贵贱、穷达贫富，在喜气盈门的春节里，都不能没有春联的表达与塑造！

我社出版的『春联挥毫必备』系列，集名家名帖之字，成行气贯通之联。一家一帖集成一书，其内容又以类相从编排，不仅从形式到内容上有力地保证了全书的一致性与连贯性，更便于读者有针对性地、分门别类地欣赏、临摹、创作之用。可以说，一编握手中，一切纳眼底，从书法的字体书体，到文字的各种情感表达，及隐藏其后的对生活的深刻理解与美好祈向，都能在本书中找到满意的答案。

上海书画出版社

目录

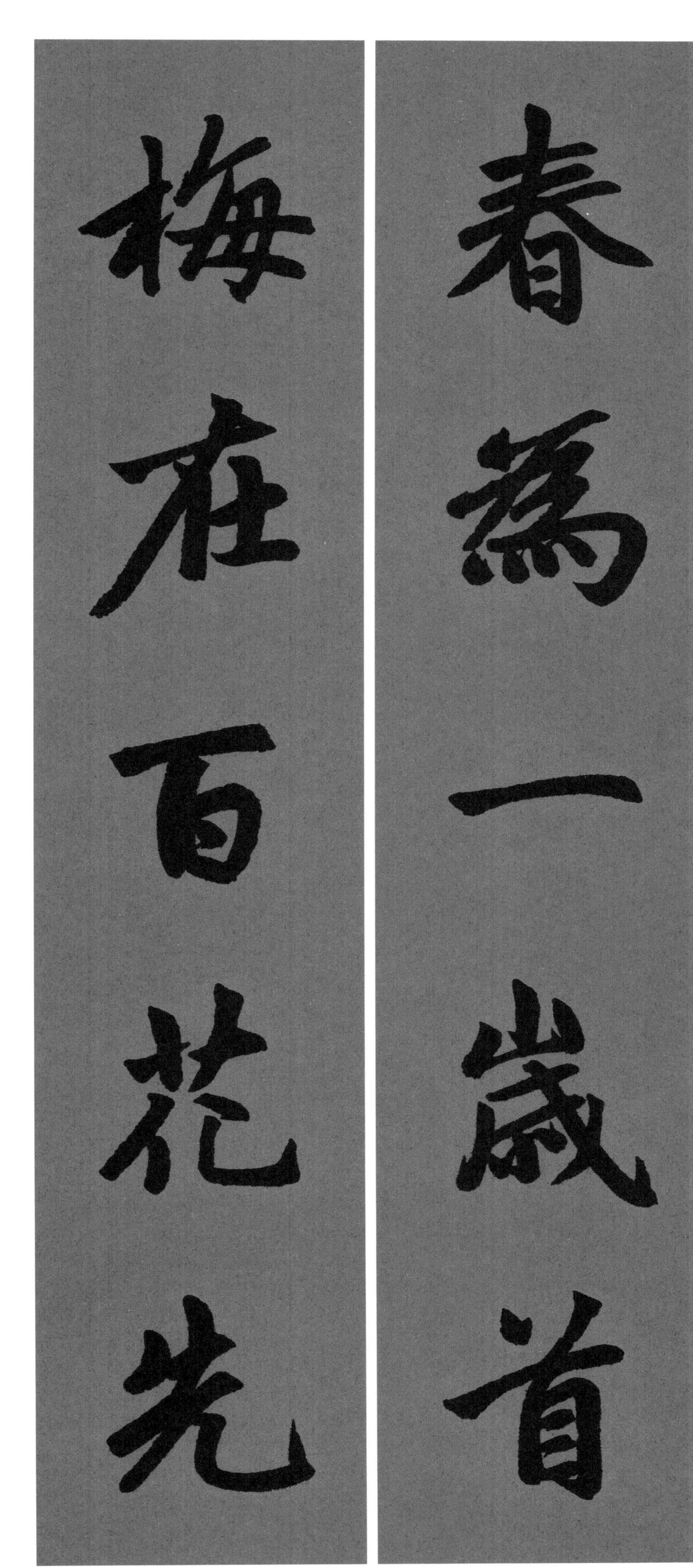

上联一 春为一岁首
下联一 梅在百花先

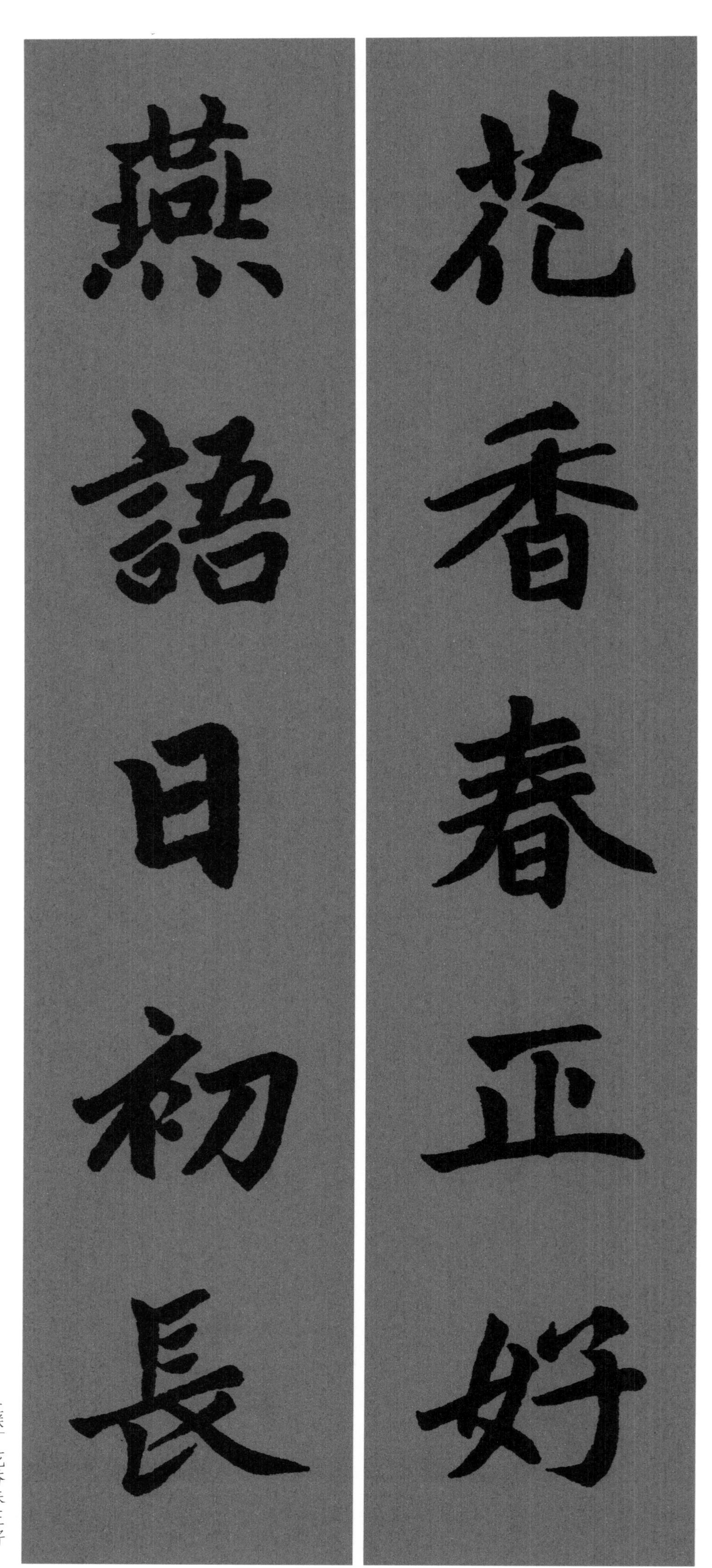

上联—花香春正好
下联—燕语日初长

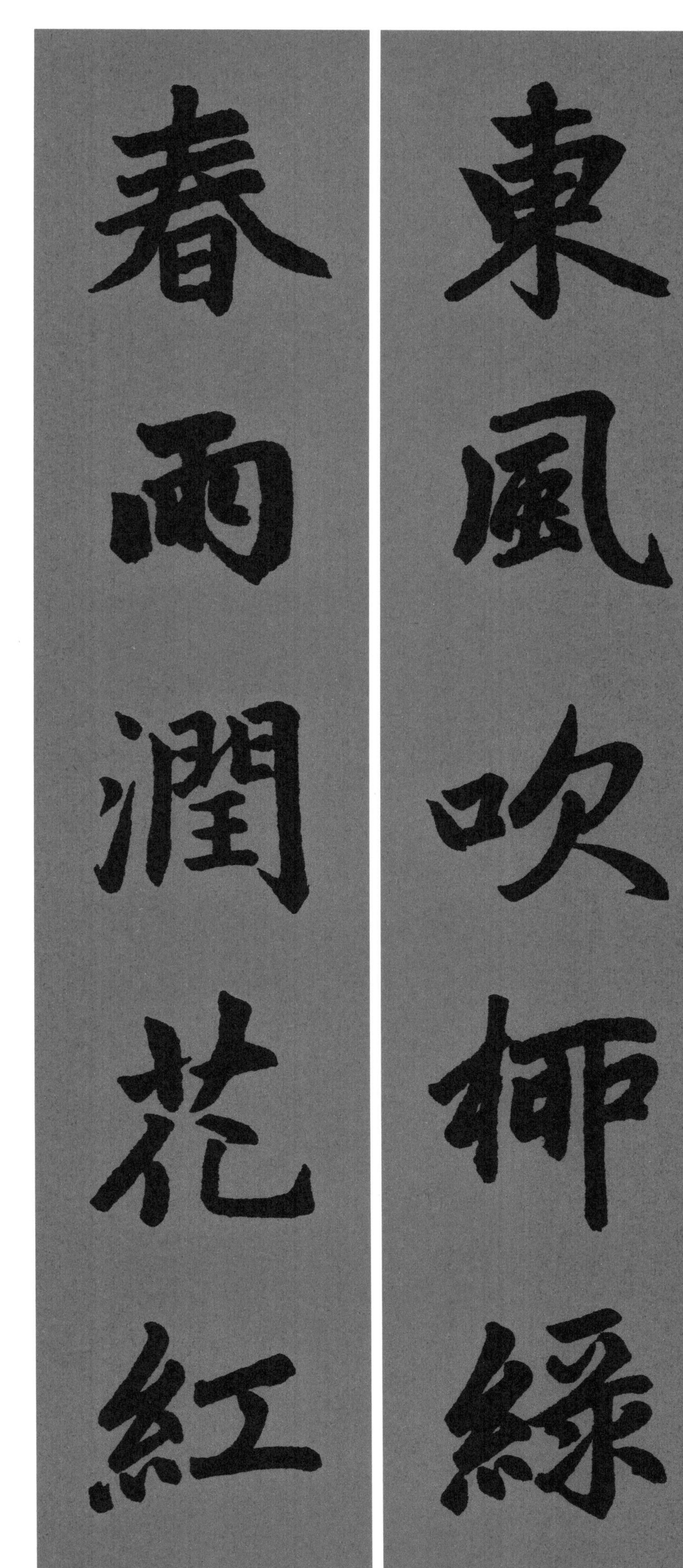

上联一 东风吹柳绿
下联一 春雨润花红

人随春意泰

年共晓光新

上联—人随春意泰
下联—年共晓光新

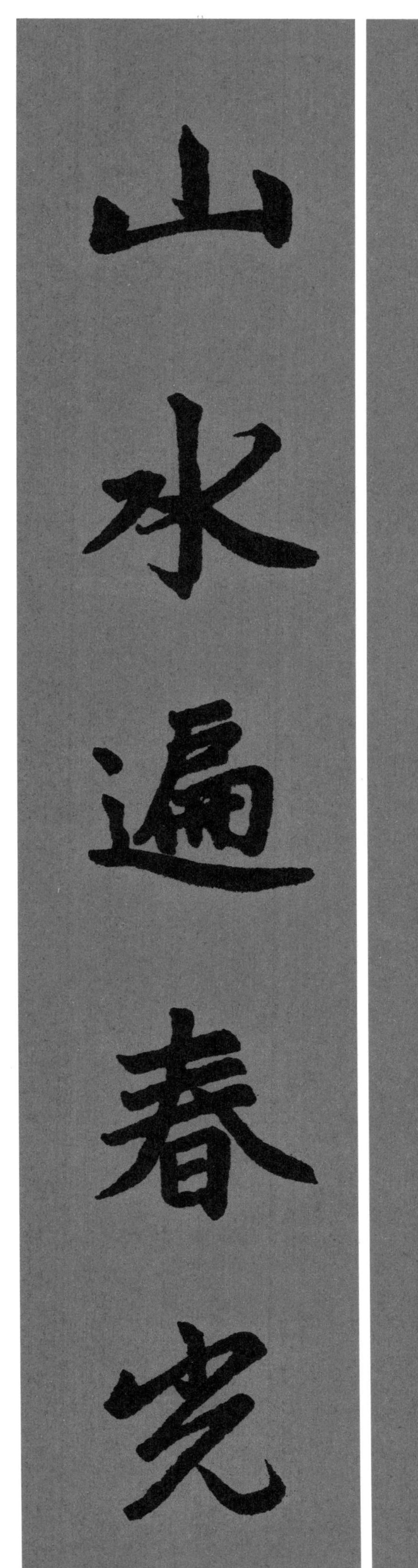

上联—门庭多喜气
下联—山水遍春光

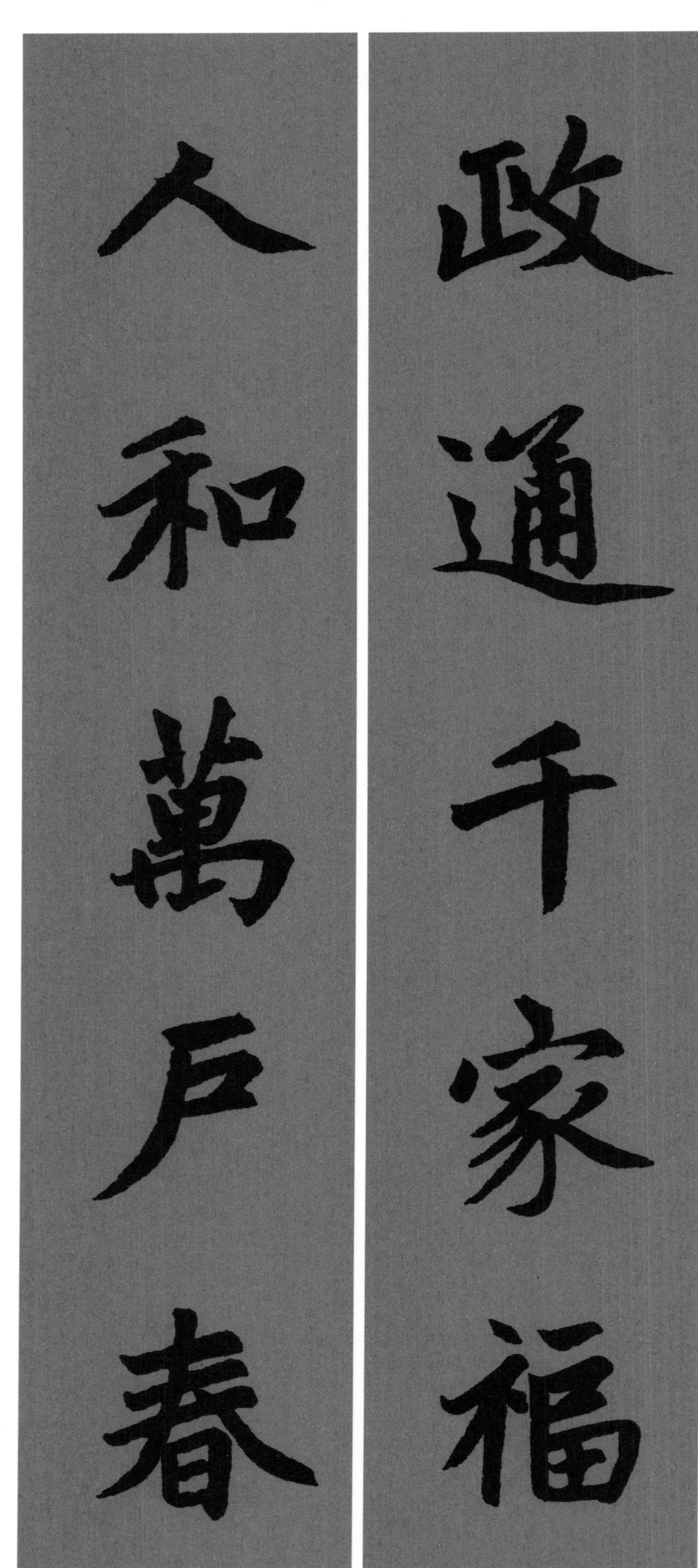

上联—政通千家福
下联—人和万户春

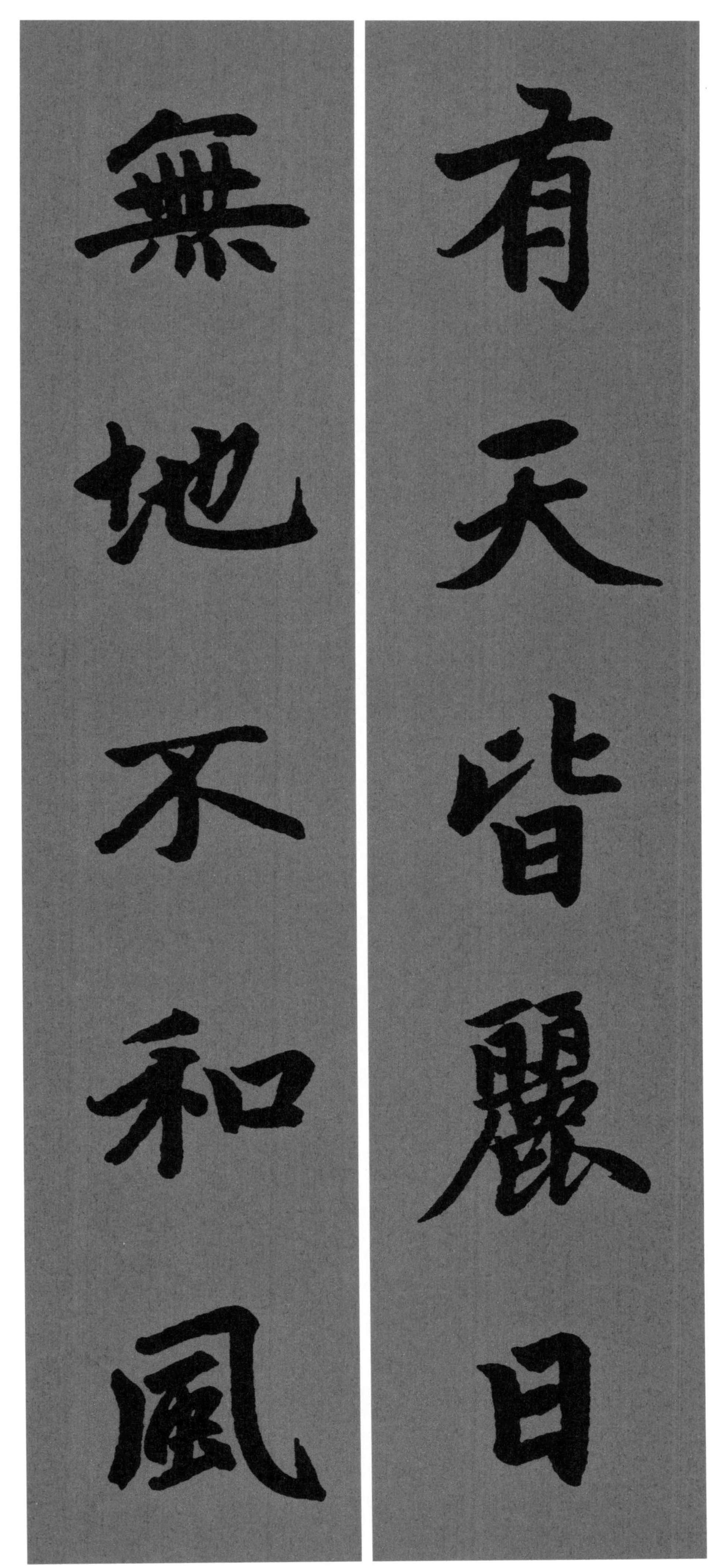

上联—有天皆丽日
下联—无地不和风

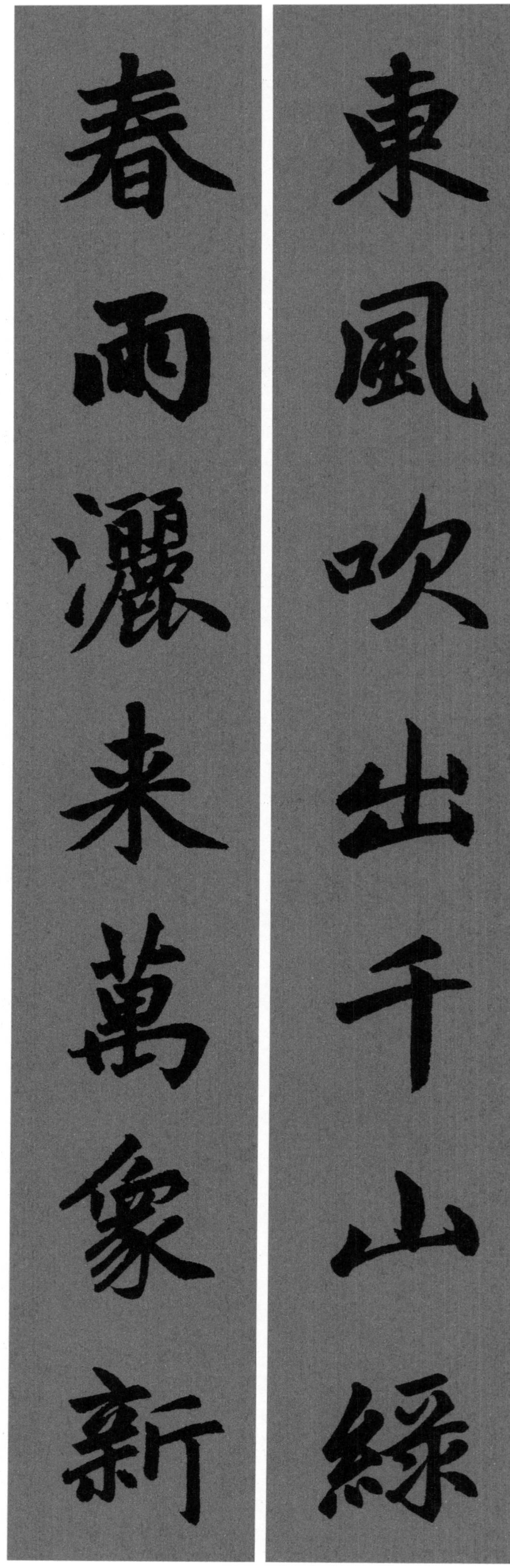

東風吹出千山緑

春雨灑来萬象新

上联一 东风吹出千山绿
下联一 春雨洒来万象新

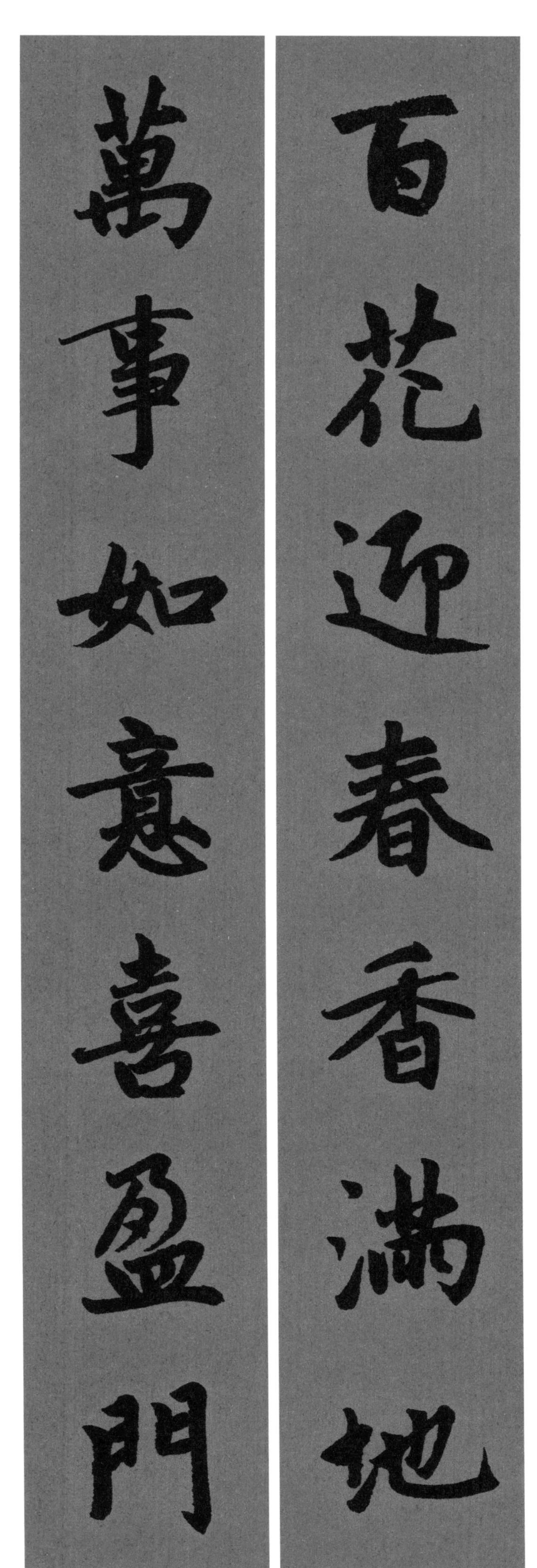

上联——百花迎春香满地
下联——万事如意喜盈门

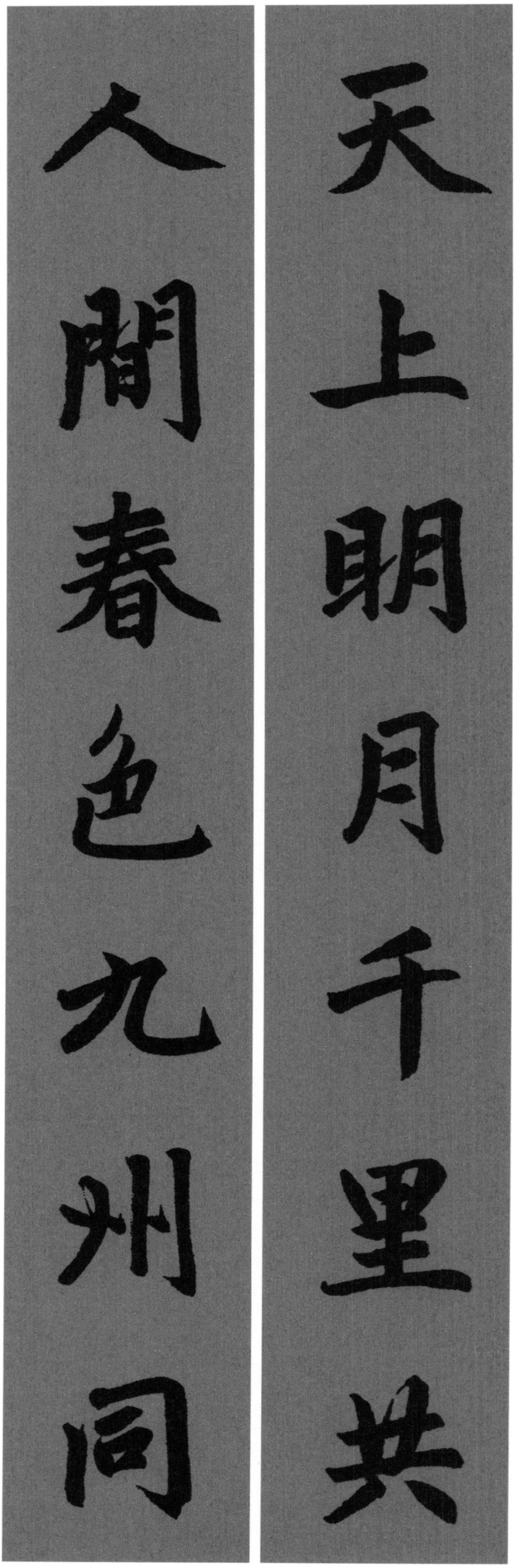

天上明月千里共

人間春色九州同

上联　天上明月千里共
下联　人间春色九州同

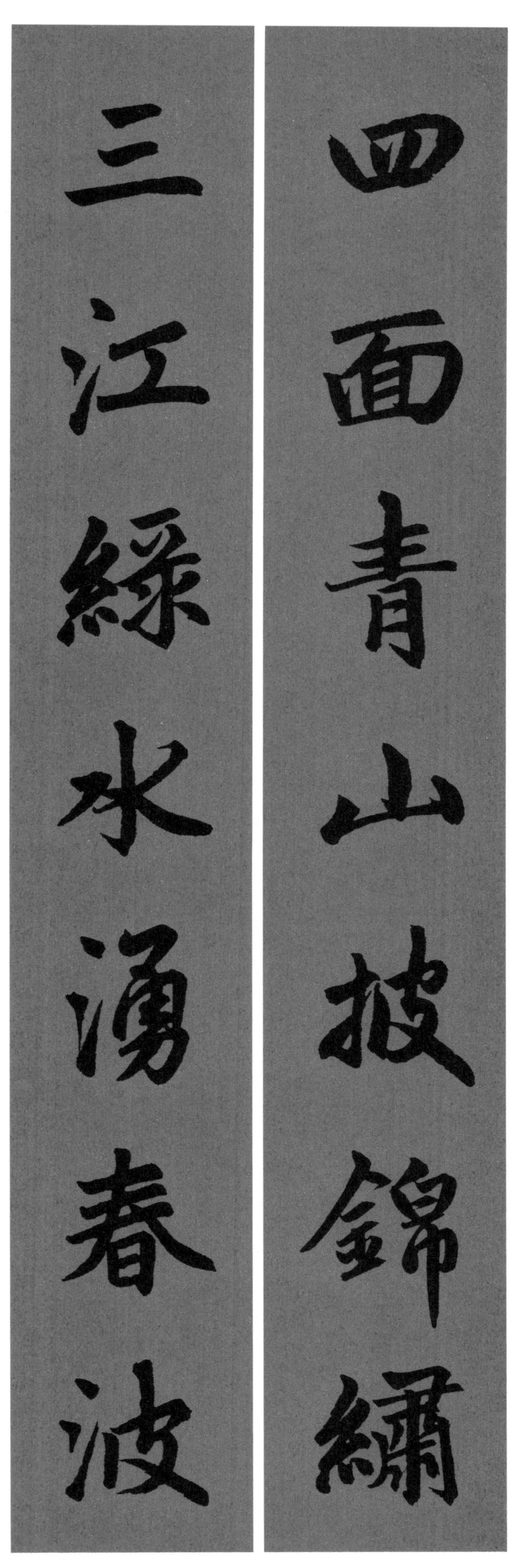

上联 一 四面青山披锦绣
下联 一 三江绿水涌春波

春歸大地風光好

福滿人間喜事多

上联一 春归大地风光好
下联一 福满人间喜事多

上联 一 百业兴旺日
下联 一 五谷丰登时

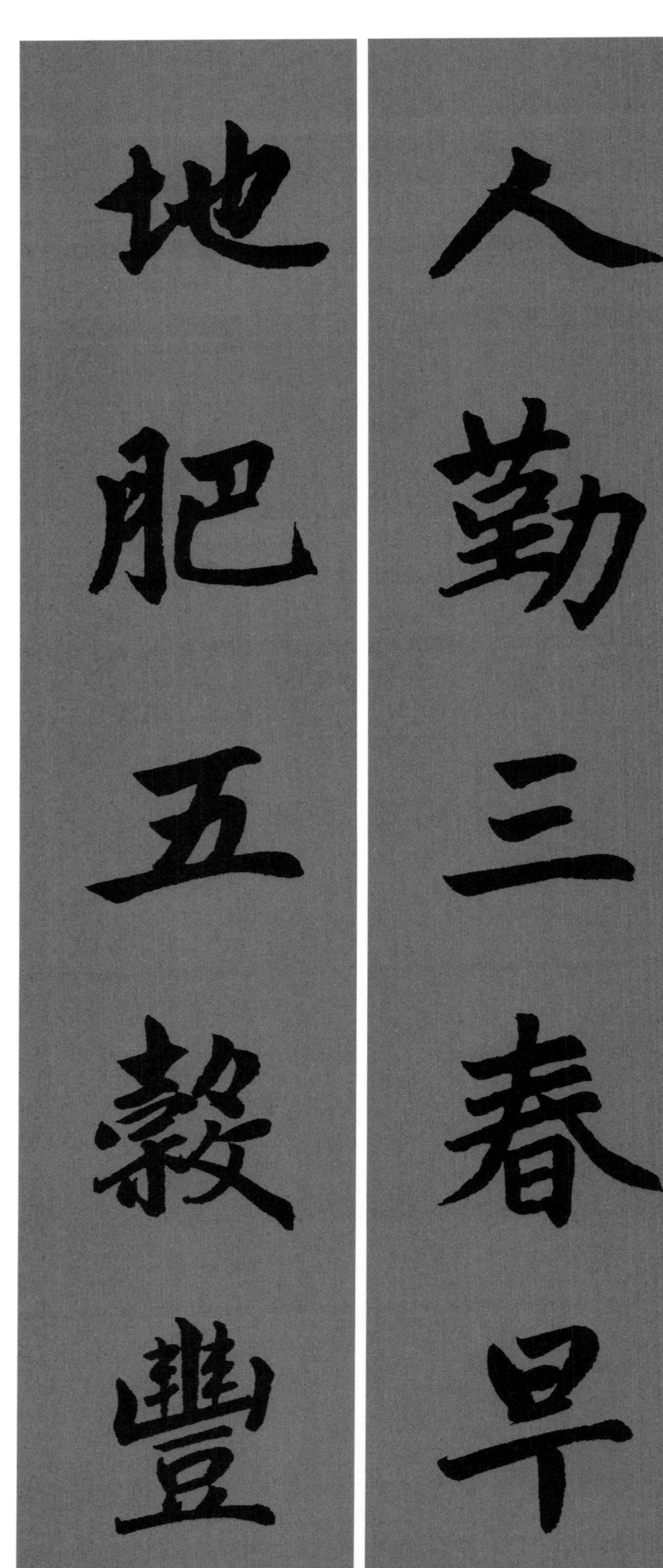

上联—人勤三春早
下联—地肥五谷丰

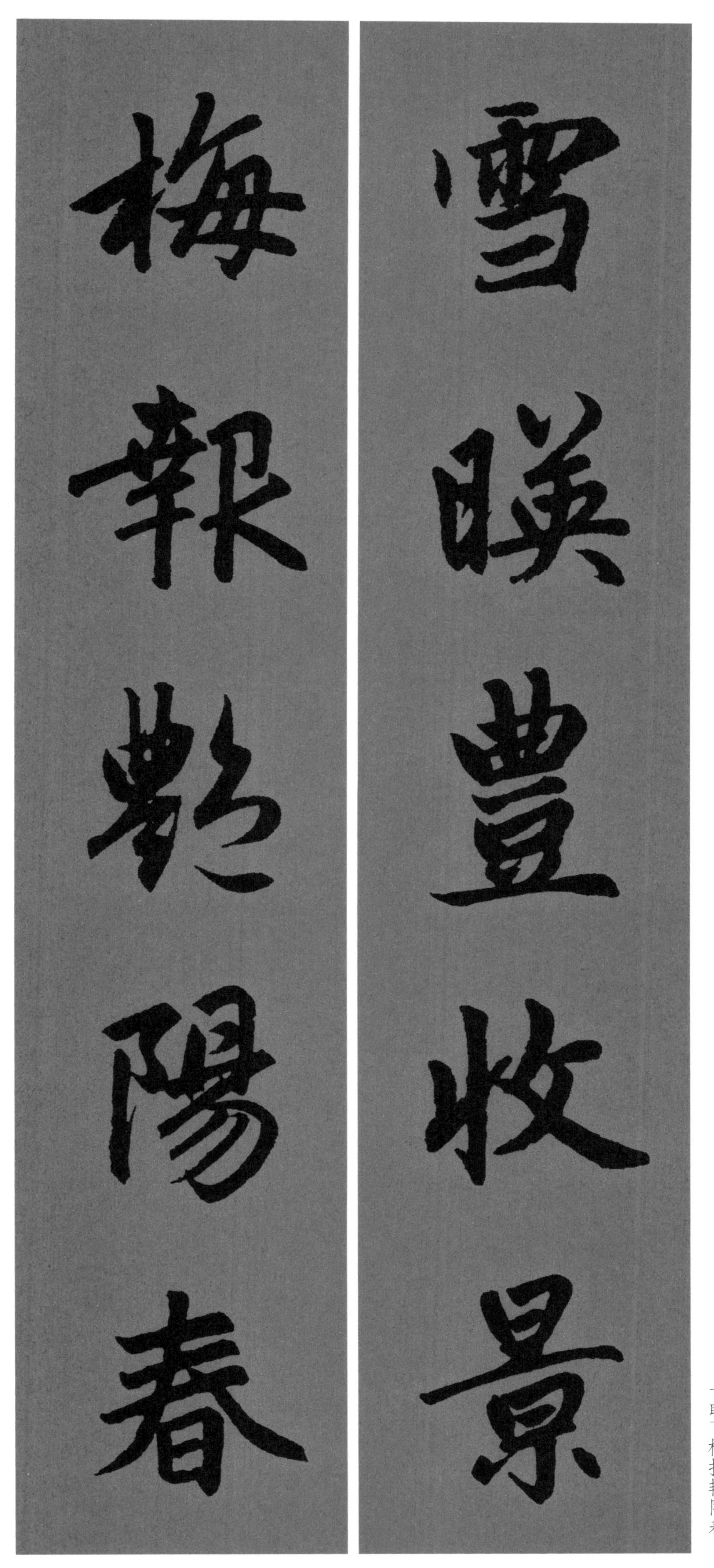

上联 一 雪映丰收景
下联 一 梅报艳阳春

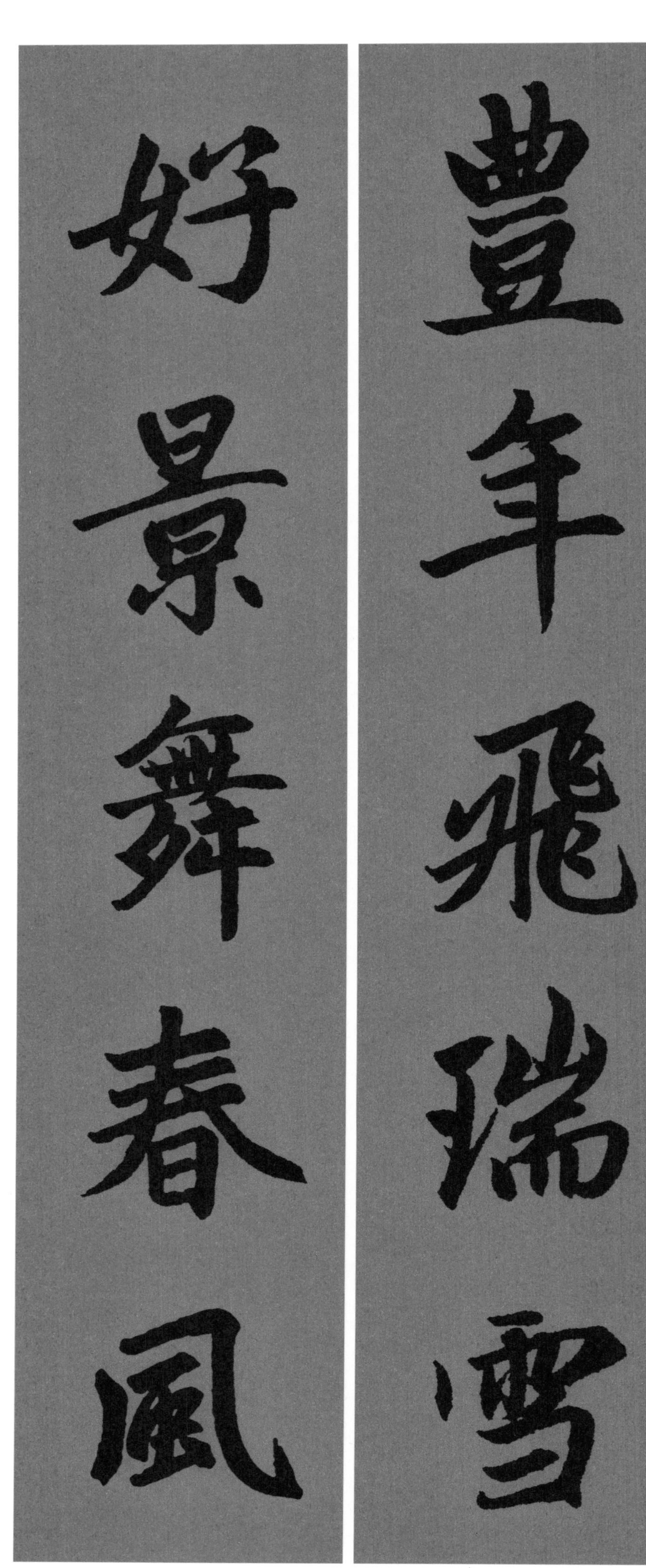

上联—丰年飞瑞雪
下联—好景舞春风

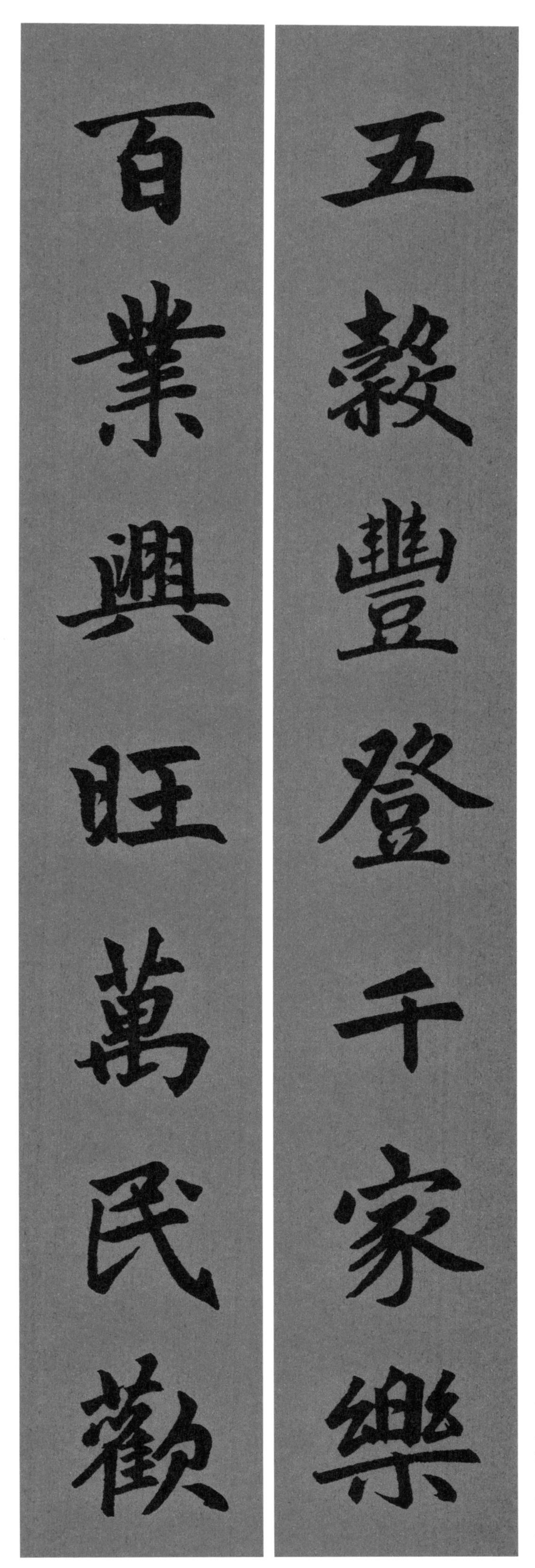

上联 五谷丰登千家乐
下联 百业兴旺万民欢

慶豐收全家歡樂

迎新春滿院生輝

上联 庆丰收全家欢乐
下联 迎新春满院生辉

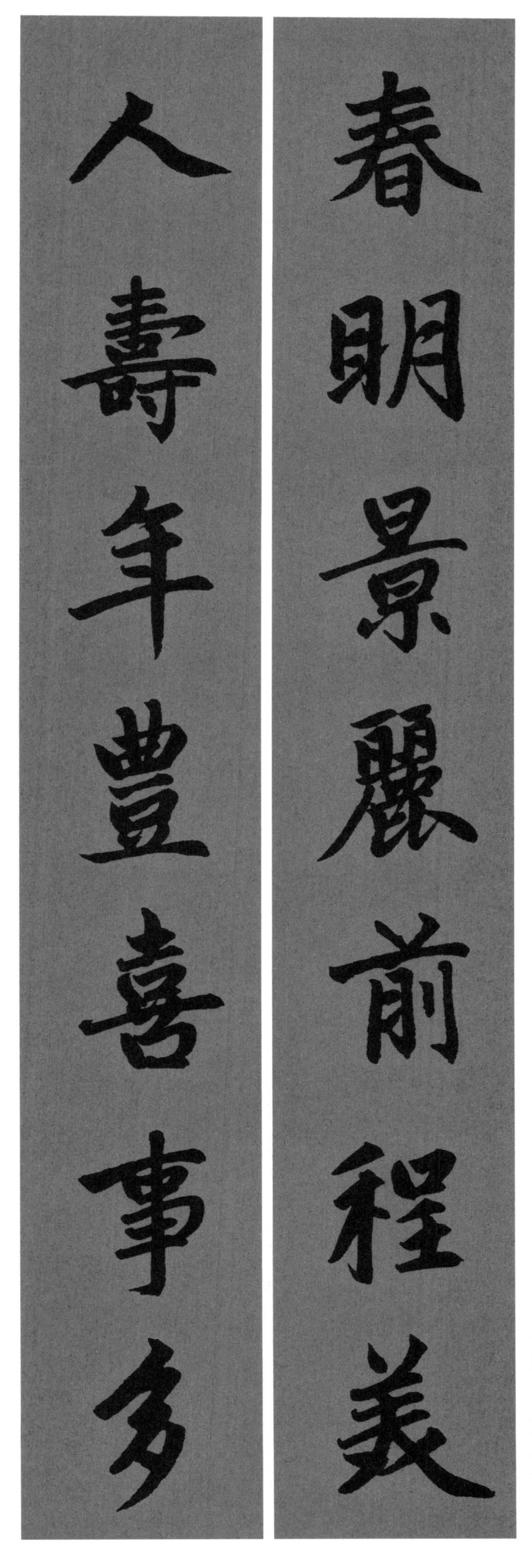

上联　春明景丽前程美
下联　人寿年丰喜事多

春風送暖蘇大地

時雨潤澤慶豐年

上联一 春风送暖苏大地
下联一 时雨润泽庆丰年

上联—人寿年丰家家乐
下联—国泰民安处处春

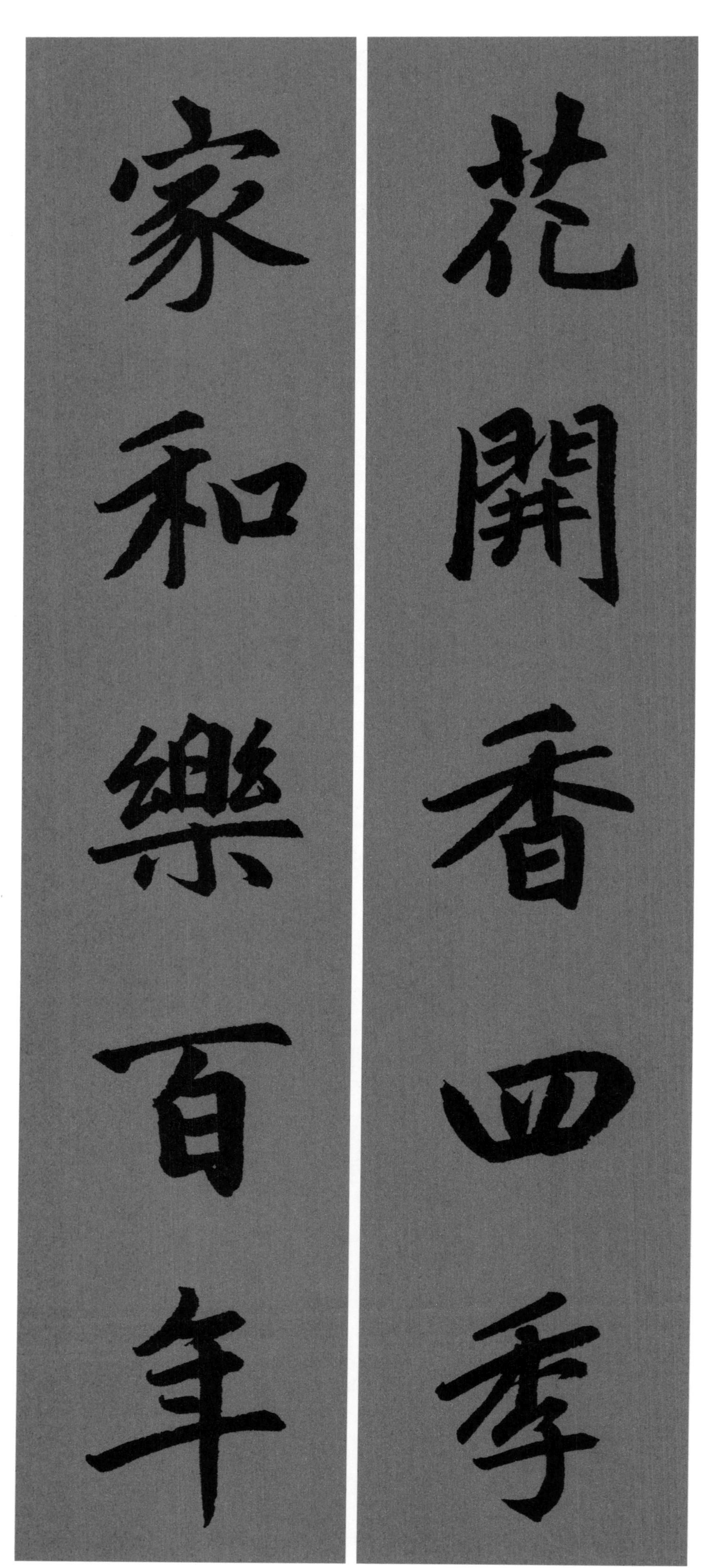

上联｜花开香四季
下联｜家和乐百年

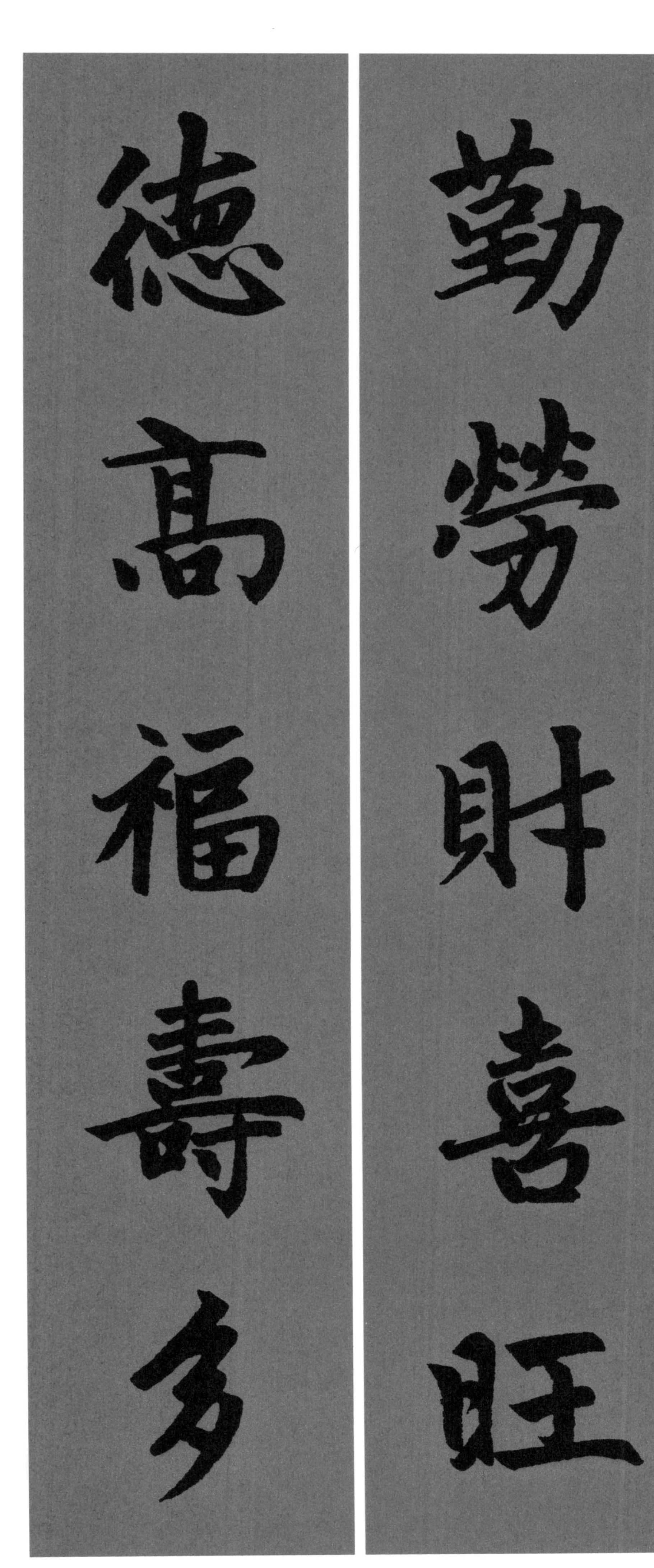

上联—勤劳财喜旺
下联—德高福寿多

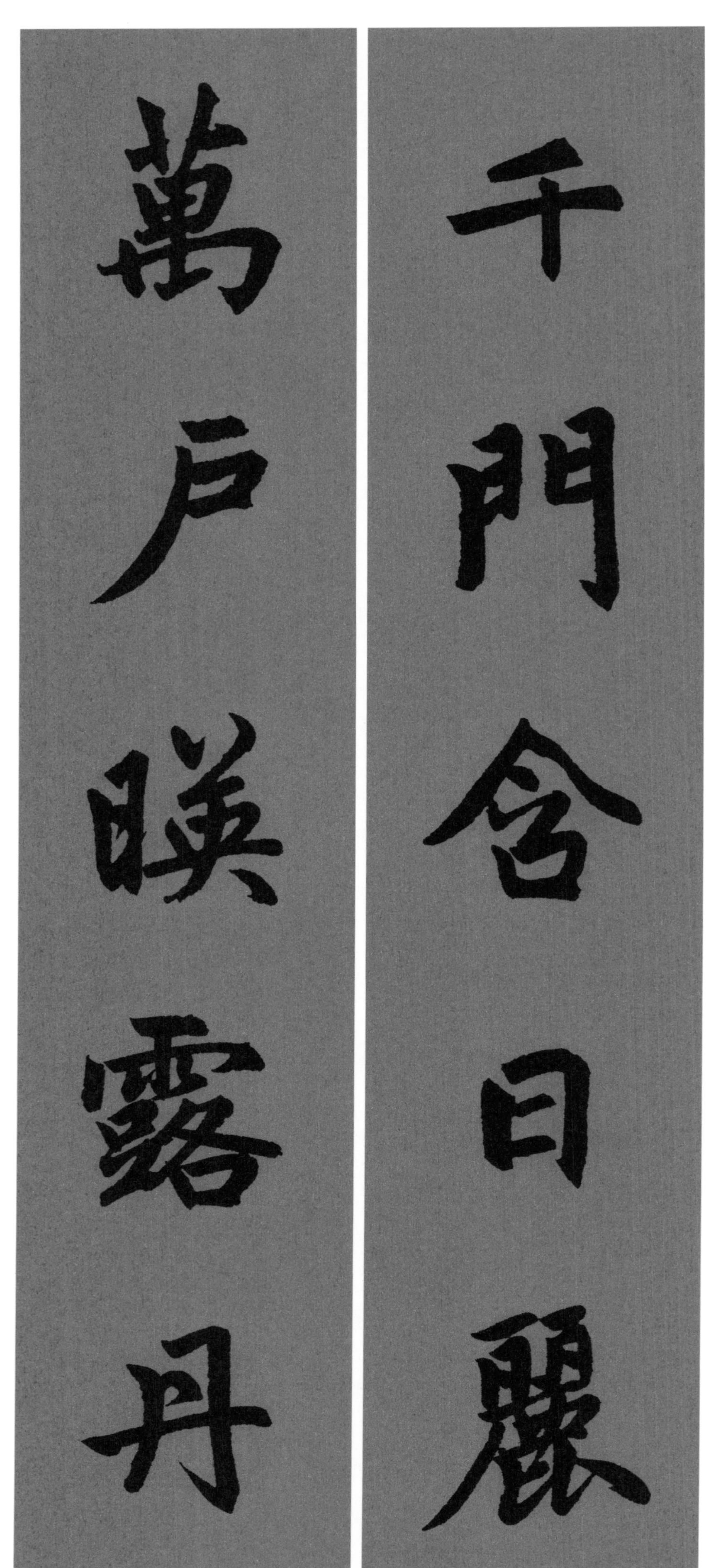

上联一 千门含日丽
下联一 万户映露丹

花好月圓事如意

龍飛鳳舞合家祥

上联——花好月圆事如意
下联——龙飞凤舞合家祥

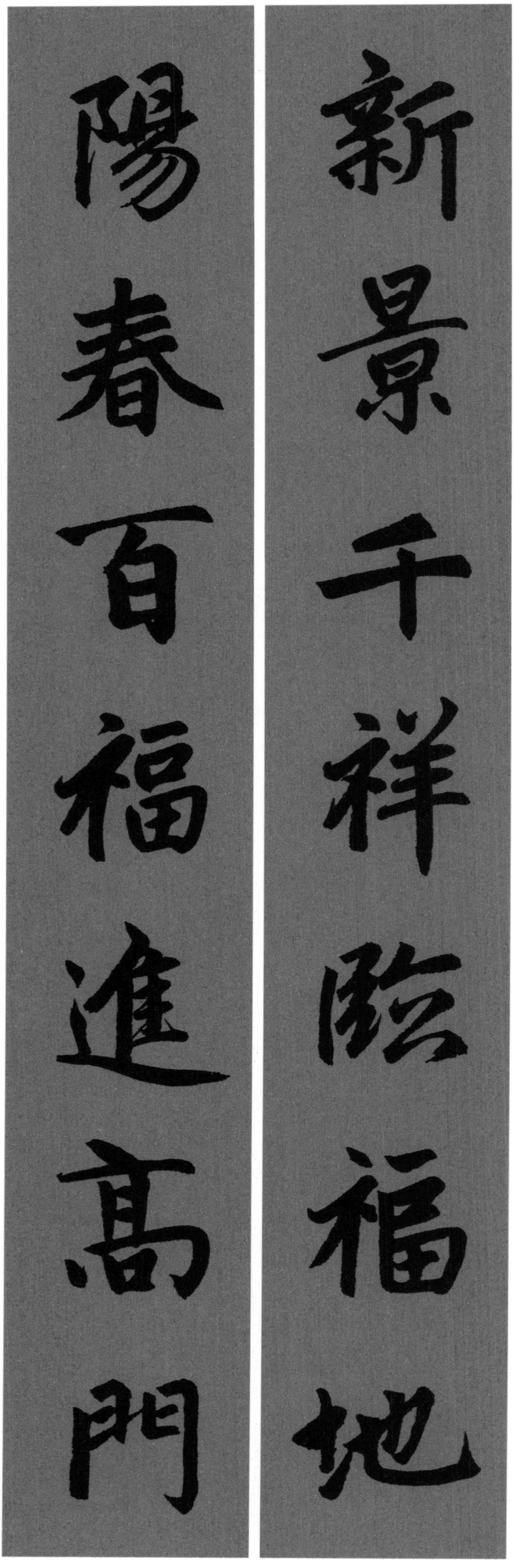

新景千祥臨福地

陽春百福進高門

上联—新景千祥临福地
下联—阳春百福进高门

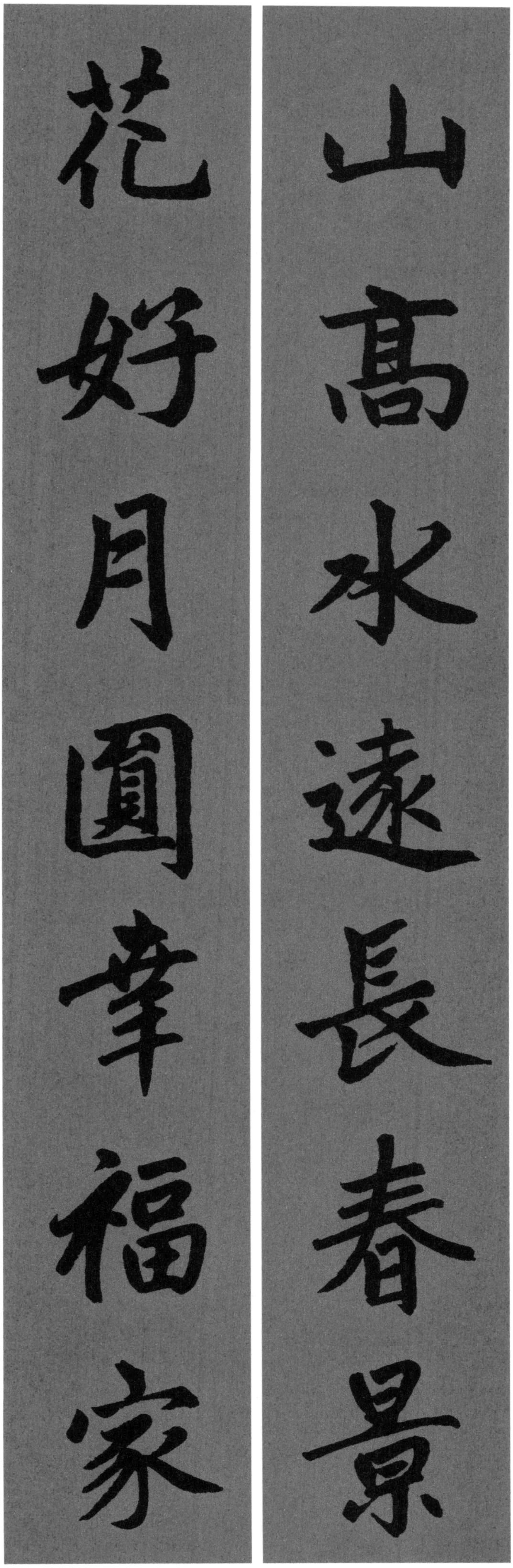

山高水遠長春景

花好月圓幸福家

上联一 山高水远长春景
下联一 花好月圆幸福家

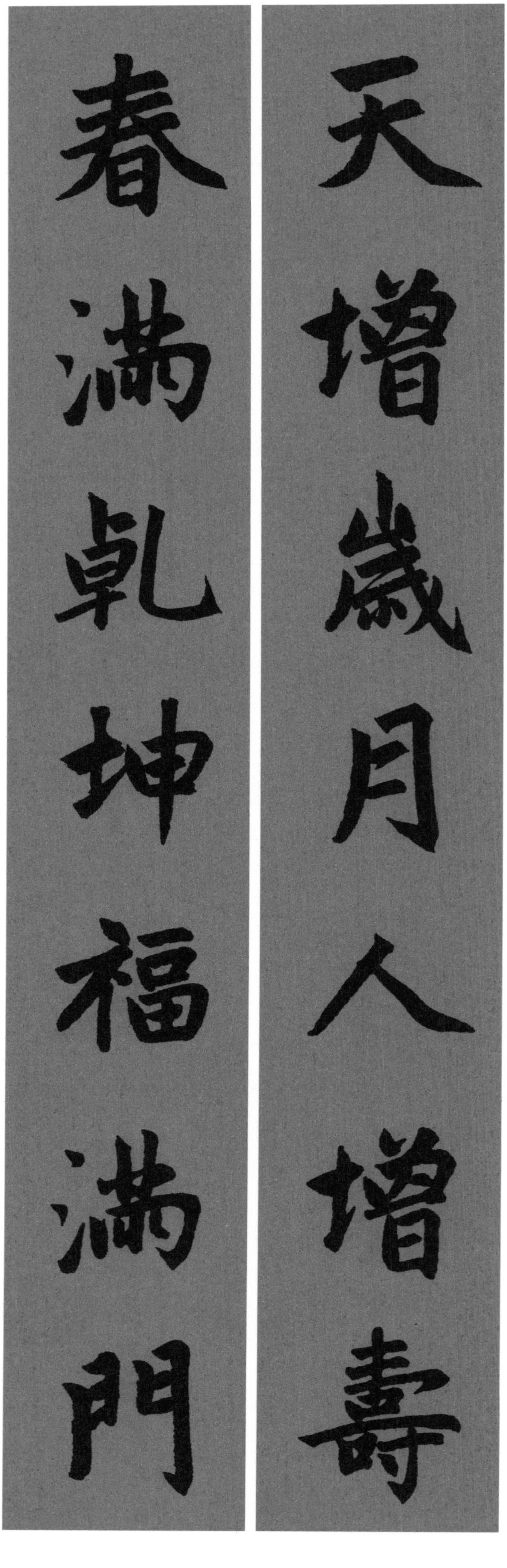

天增歲月人增壽

春滿乾坤福滿門

上联｜天增岁月人增寿
下联｜春满乾坤福满门

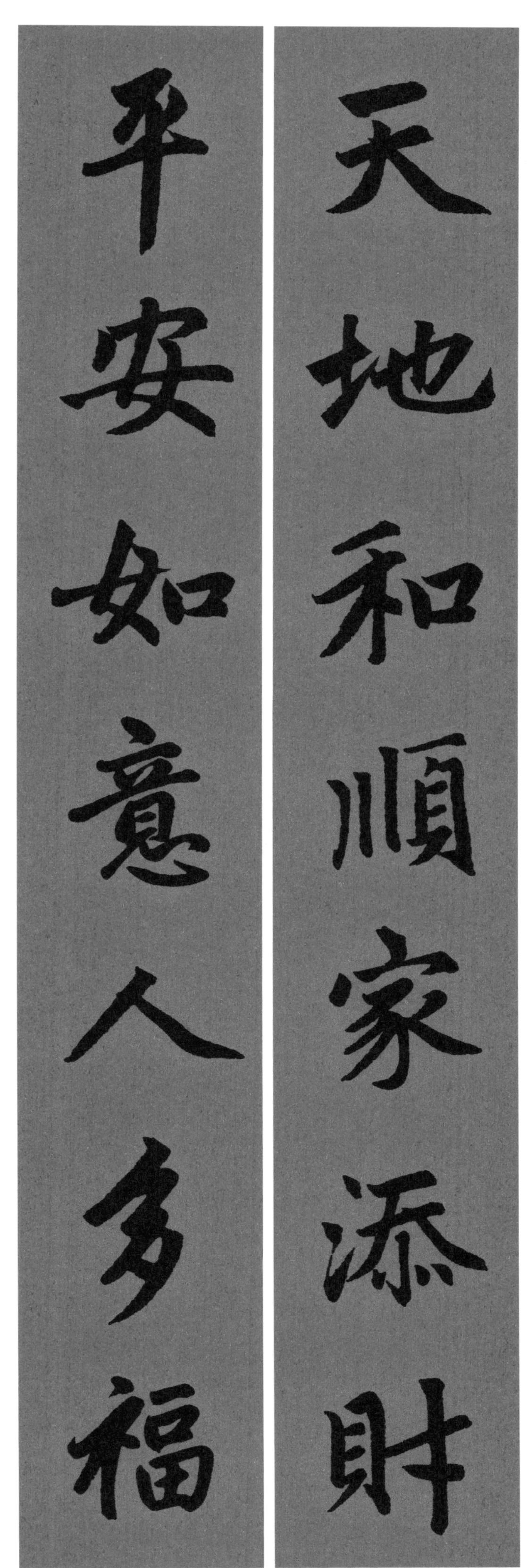

上联 — 天地和顺家添财
下联 — 平安如意人多福

春光满屋人財旺

瑞氣盈門福壽齋

上联　春光满屋人财旺
下联　瑞气盈门福寿齐

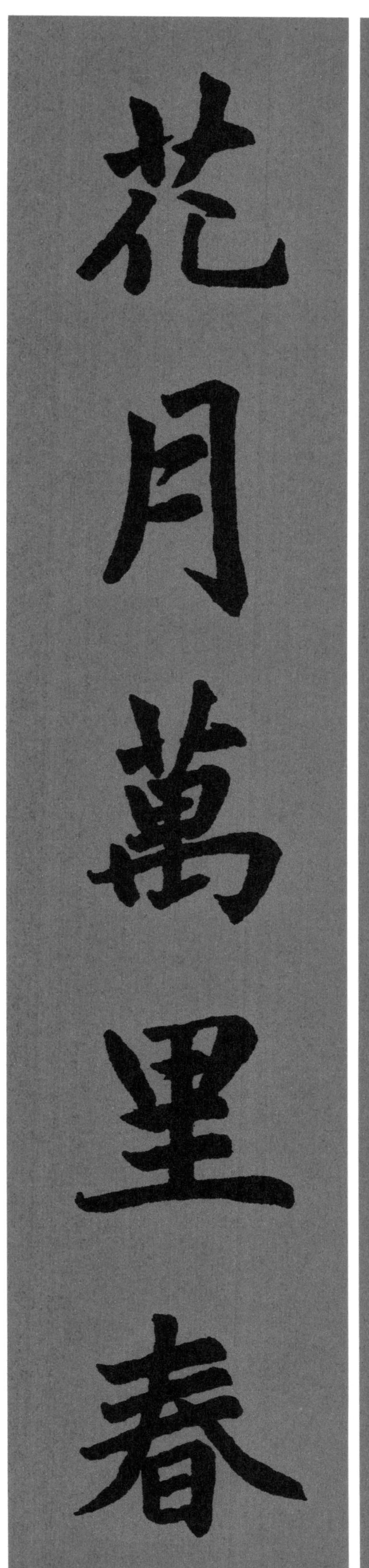

上联一 文章千古事
下联一 花月万里春

上联一 春风添画意
下联一 岁月赋诗情

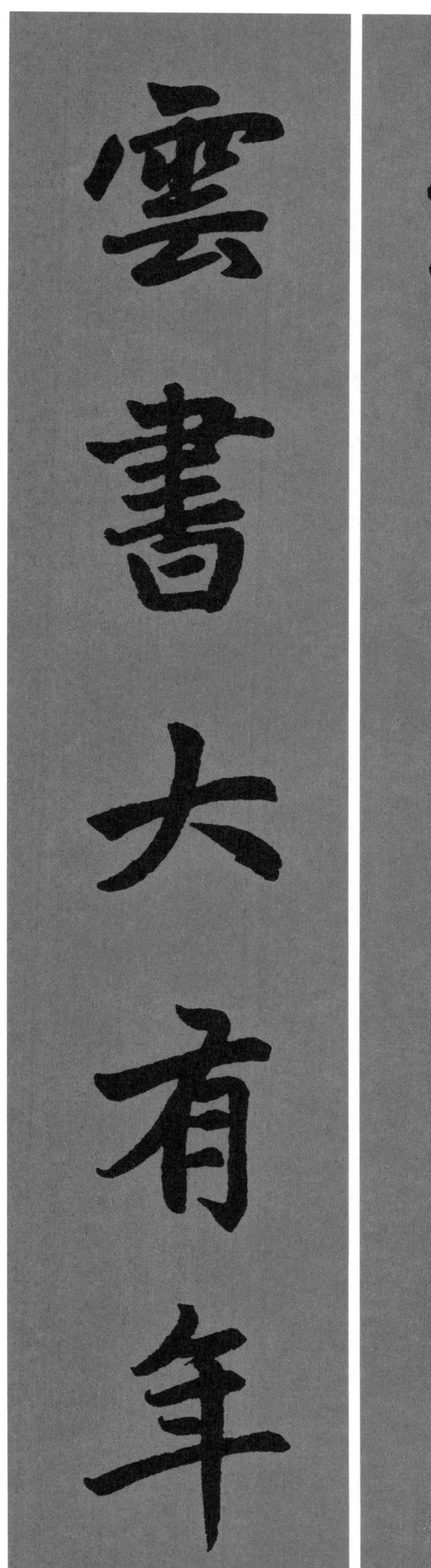

上联一 彩结宜春字
下联一 云书大有年

春意猶融文明意

花香更帶翰墨香

上联｜春意犹融文明意
下联｜花香更带翰墨香

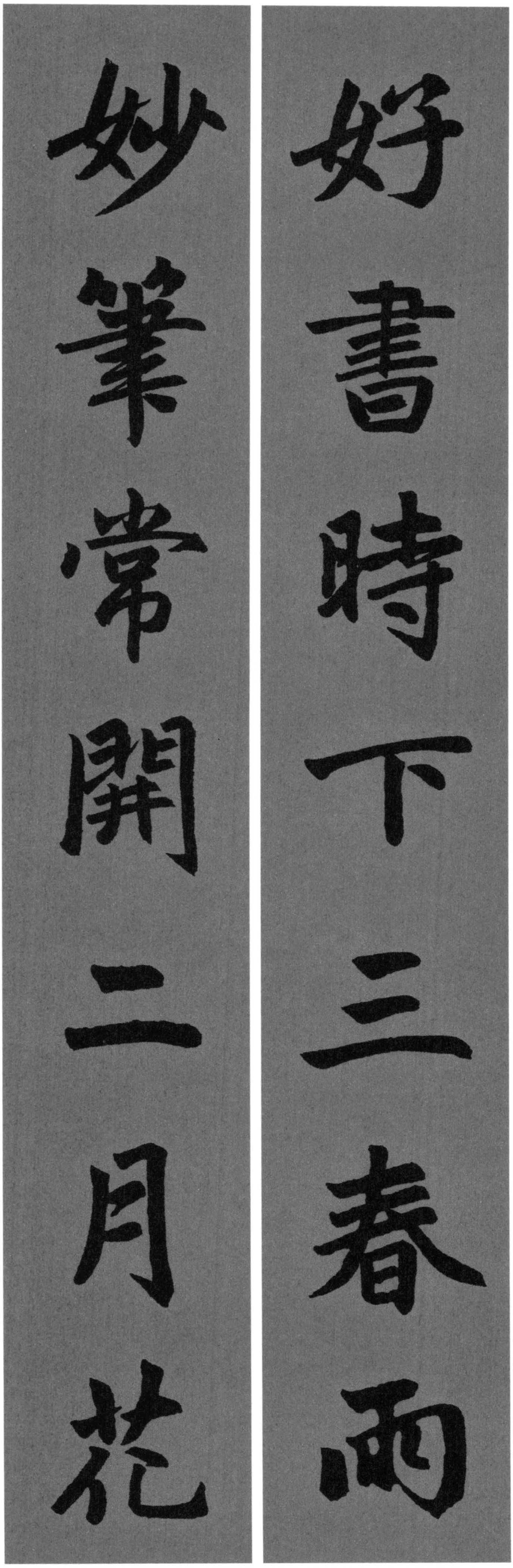

好書時下三春雨

妙筆常開二月花

上联 好书时下三春雨

下联 妙笔常开二月花

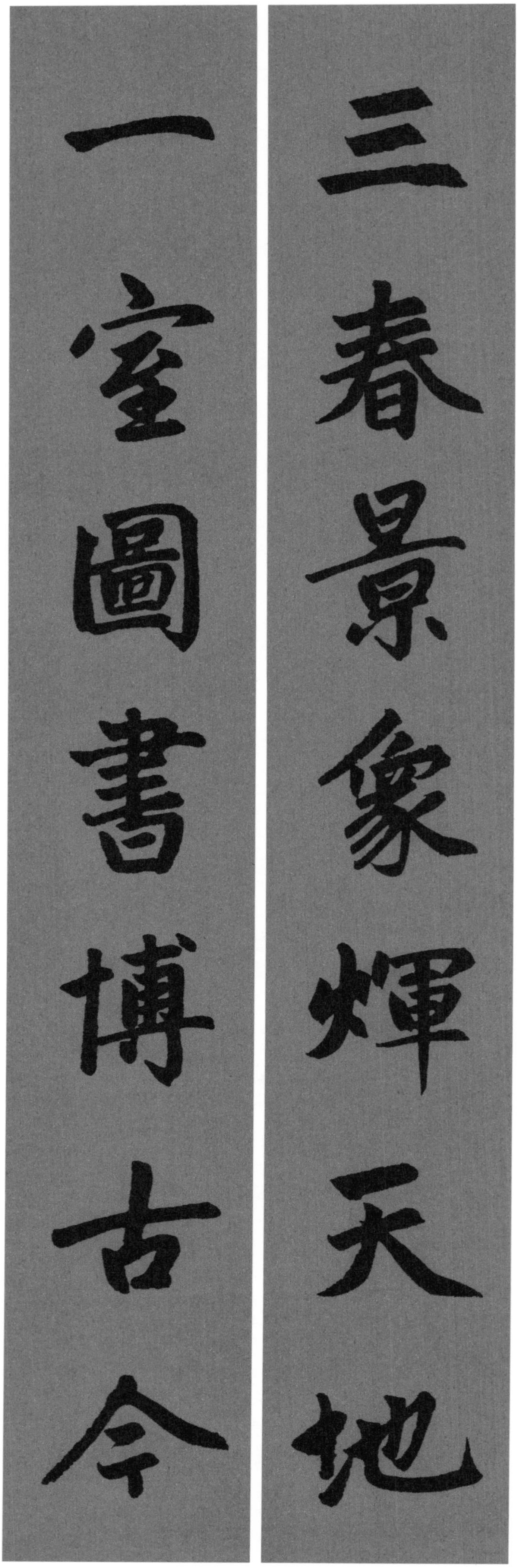

三春景象輝天地

一室圖書博古今

上联：三春景象辉天地
下联：一室图书博古今

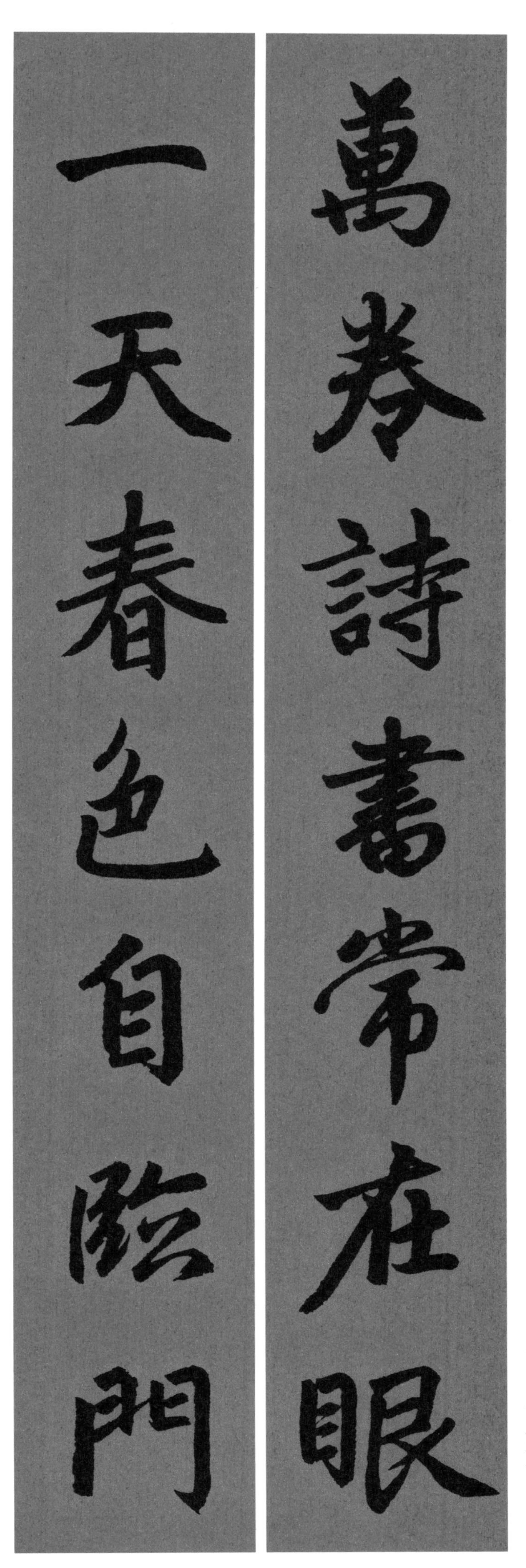

上联 — 万卷诗书常在眼
下联 — 一天春色自临门

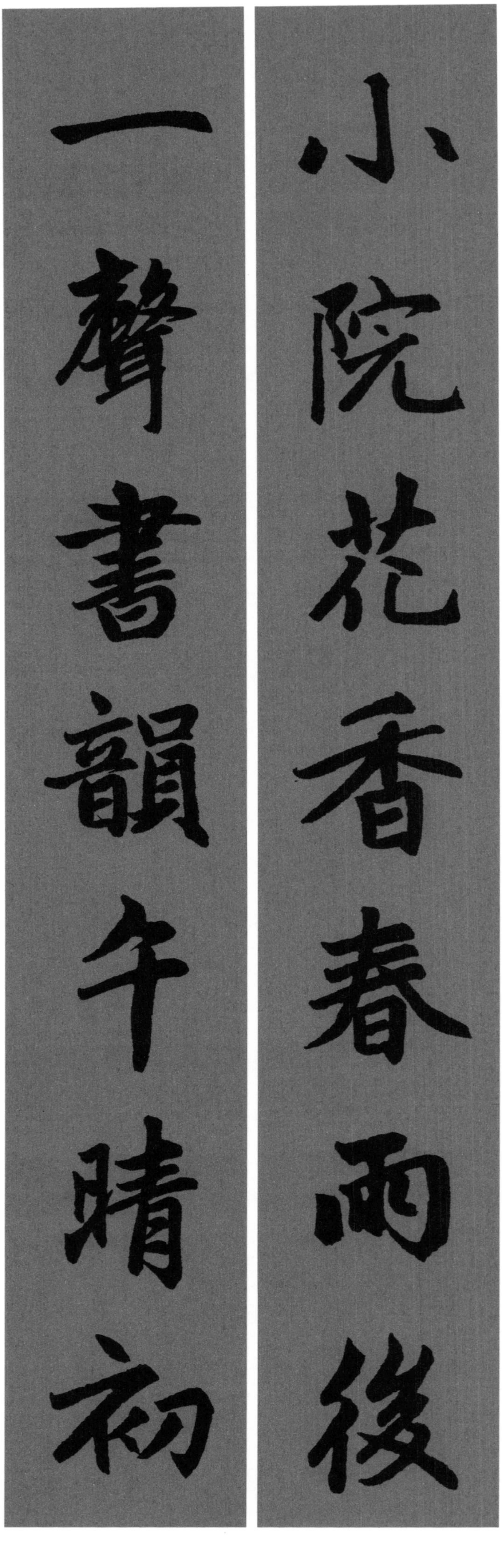

小院花香春雨後

一聲書韻午晴初

上联—小院花香春雨后
下联—一声书韵午晴初

春風展卷書猶綠

明月臨窗墨花香

上联 — 春风展卷书犹绿

下联 — 明月临窗墨花香

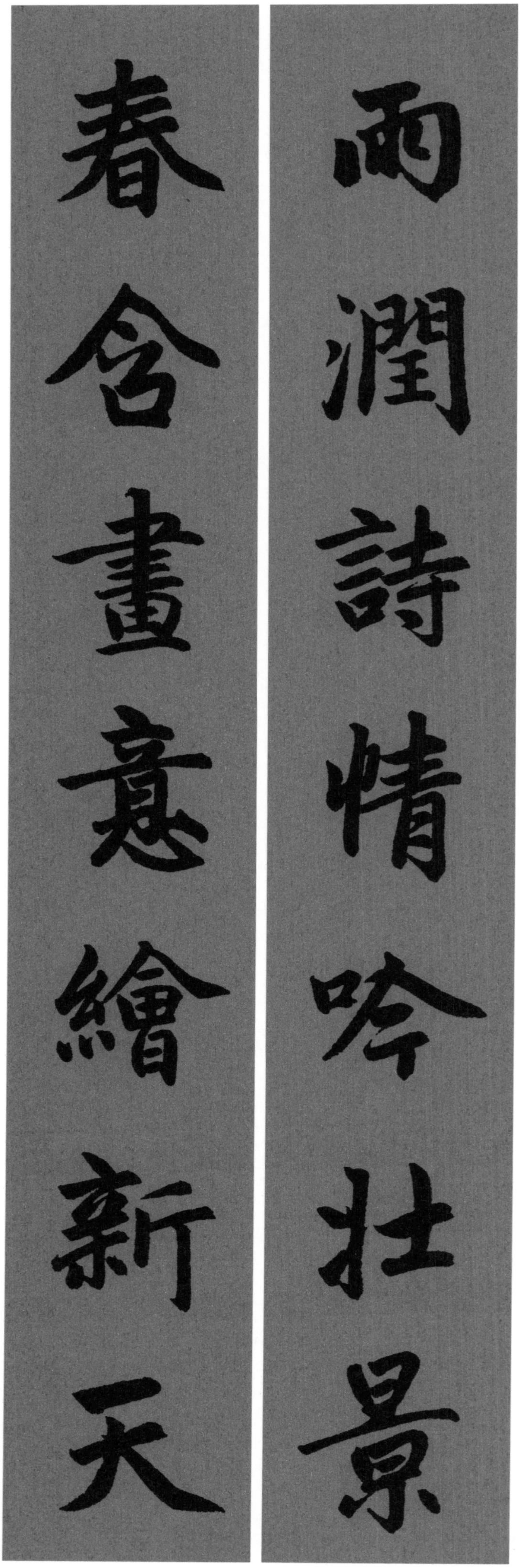

雨潤詩情吟壯景

春含畫意繪新天

上联　雨润诗情吟壮景
下联　春含画意绘新天

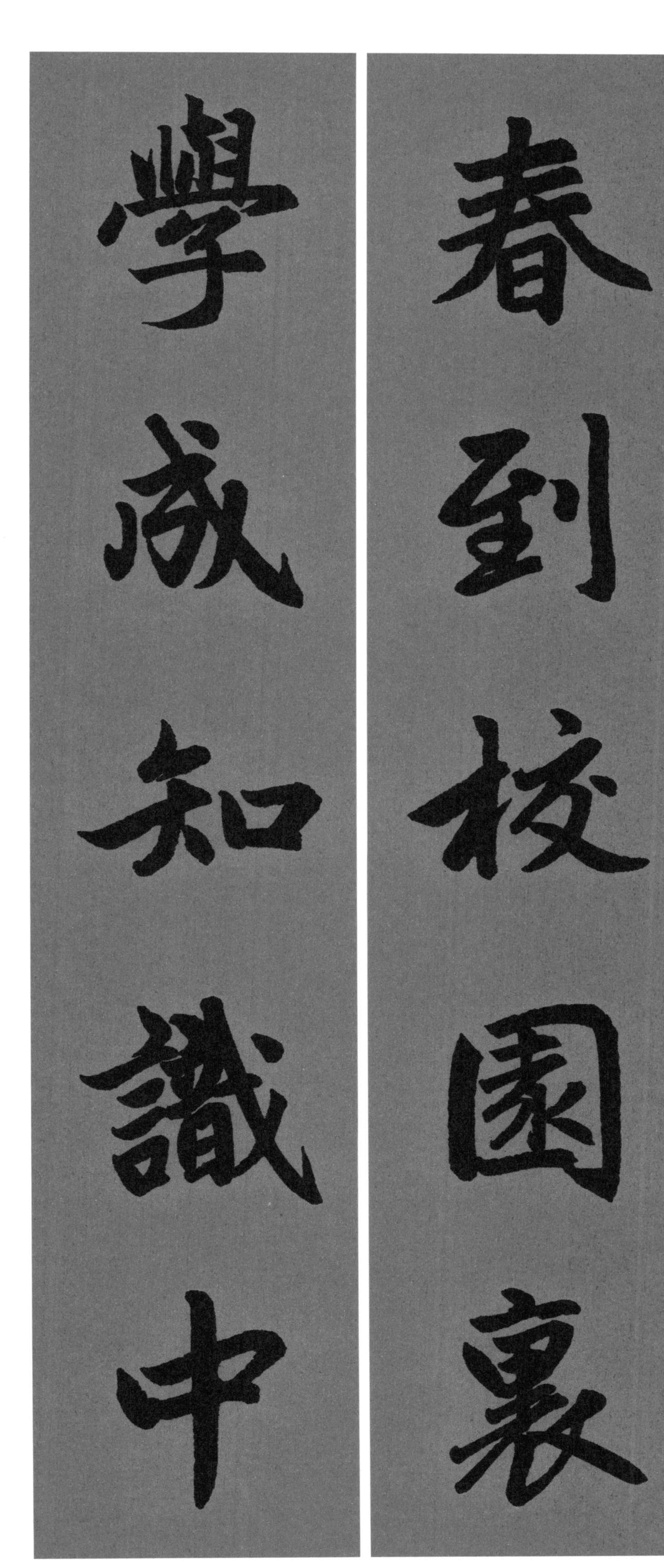

上联 — 春到校园里
下联 — 学成知识中

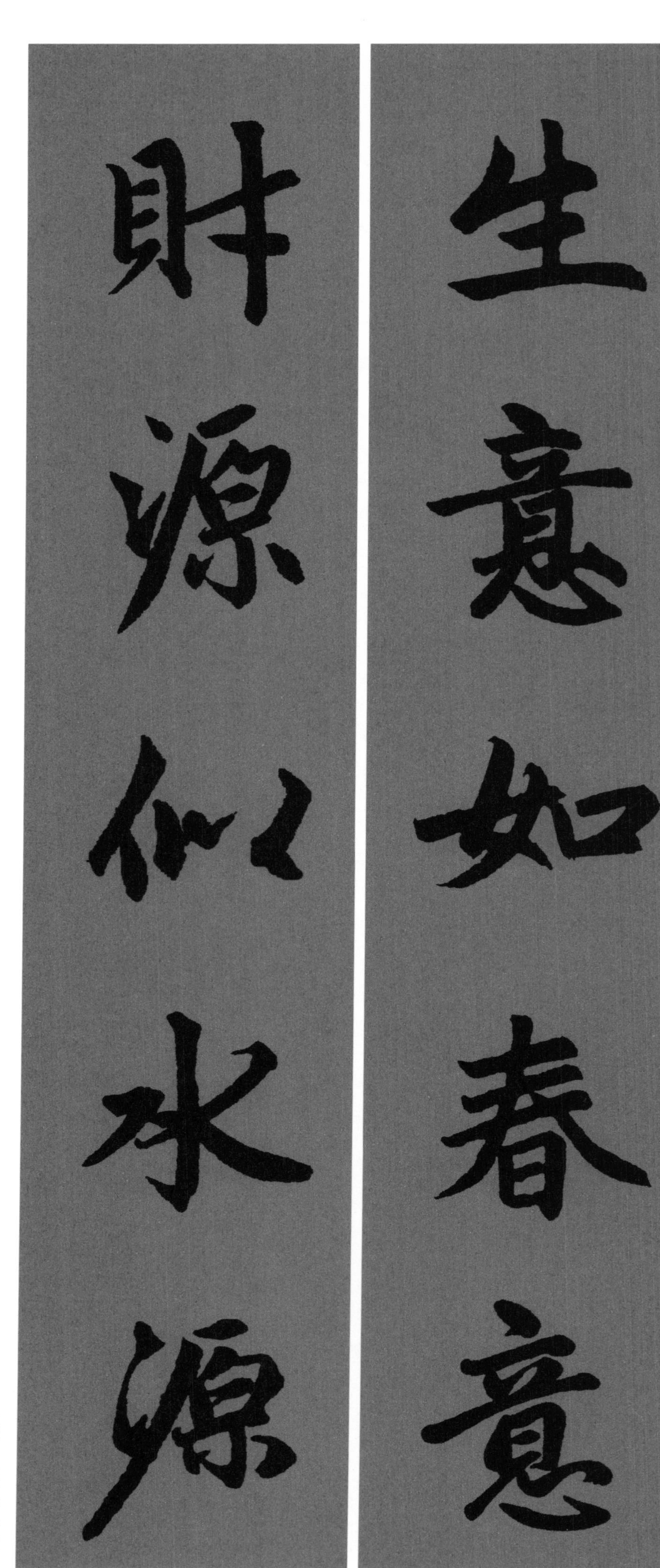

上联—生意如春意
下联—财源似水源

上联 盈门飞酒韵
下联 开业会春风

美食迎八方貴客

笑容暖九州人心

上联　美食迎八方贵客
下联　笑容暖九州人心

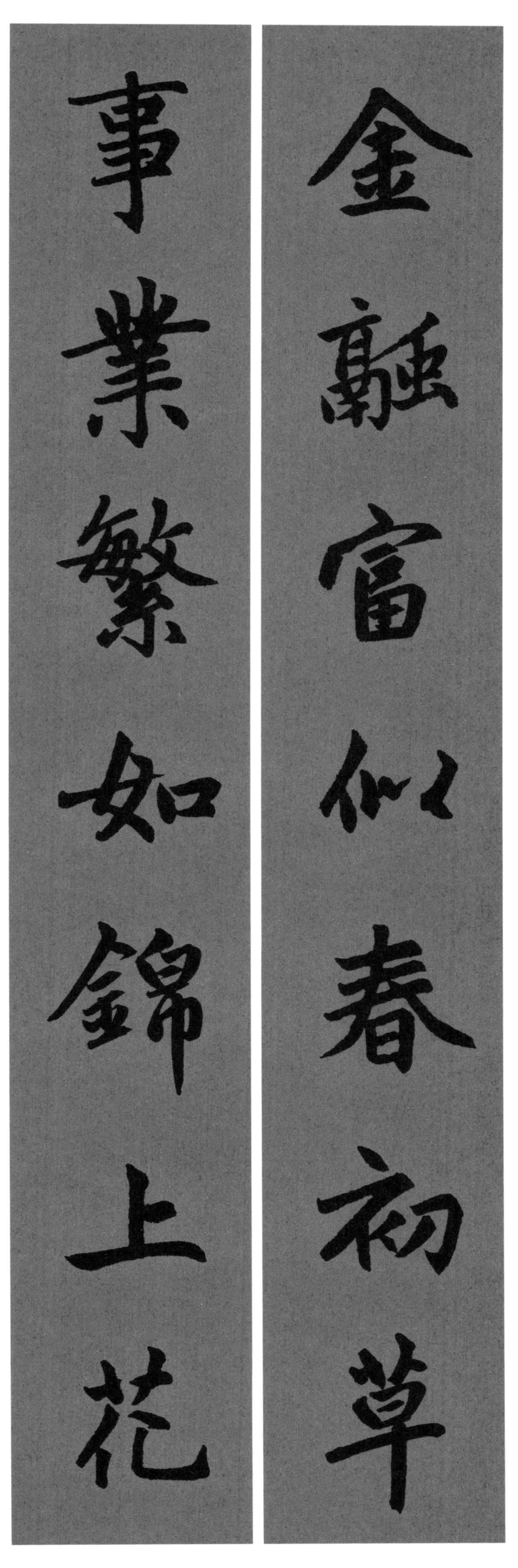

上联——金融富似春初草
下联——事业繁如锦上花

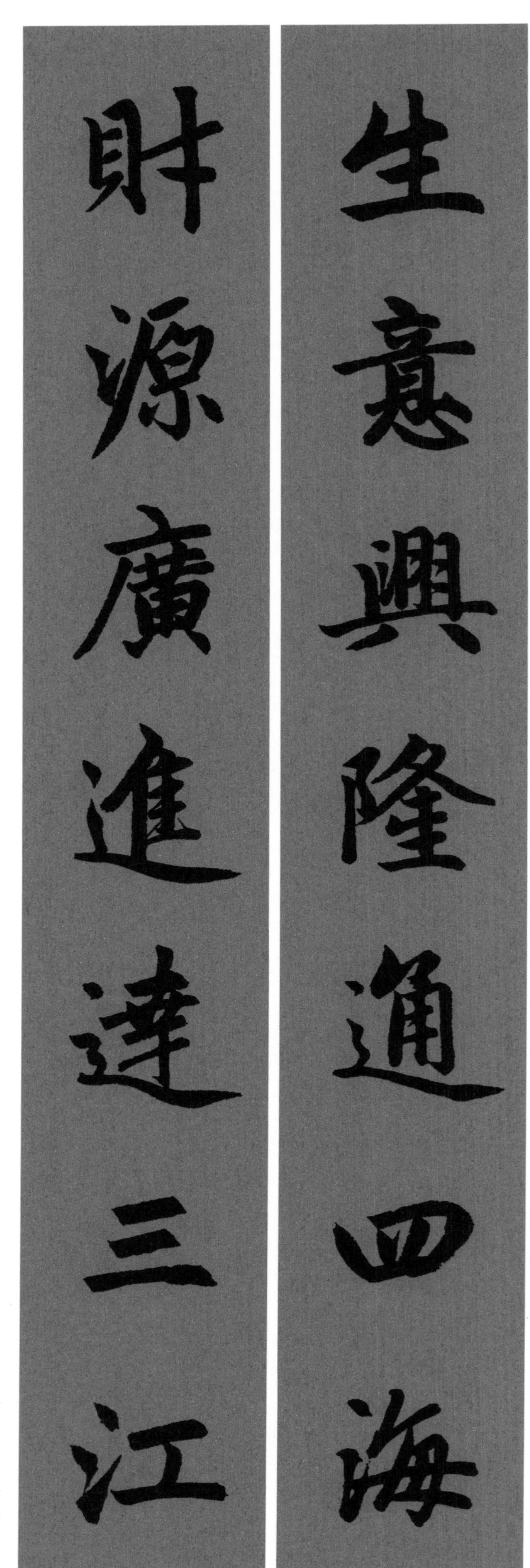

上联 生意兴隆通四海
下联 财源茂盛达三江

上联— 事事顺心创大业

下联— 年年得意展鸿图

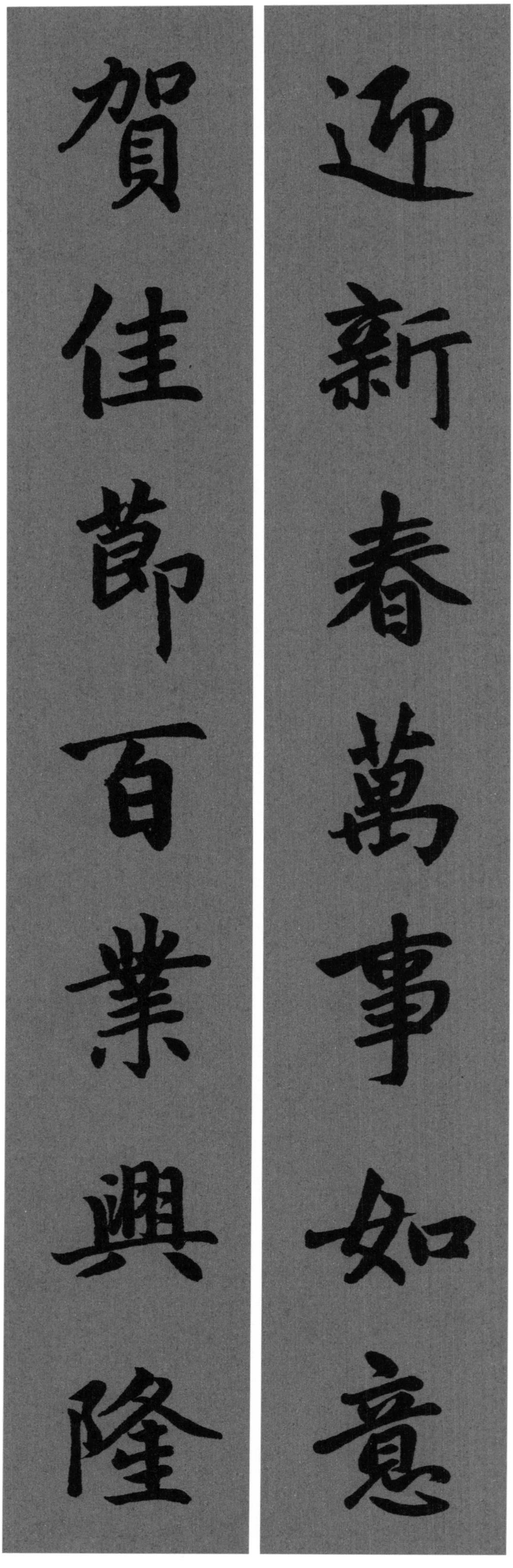

迎新春萬事如意

賀佳節百業興隆

上联—迎新春万事如意
下联—贺佳节百业兴隆

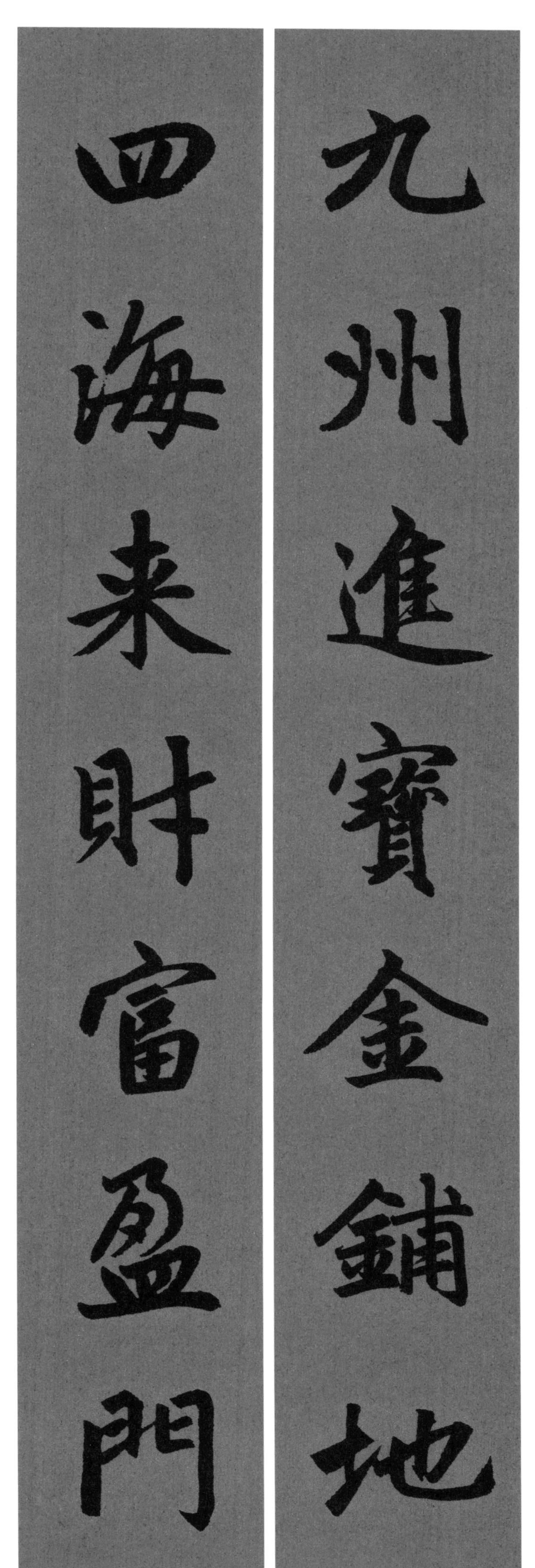

上联 — 九州进宝金铺地
下联 — 四海来财富盈门

實業人剏千秋業

長春花開萬里春

上联—实业人创千秋业
下联—长春花开万里春

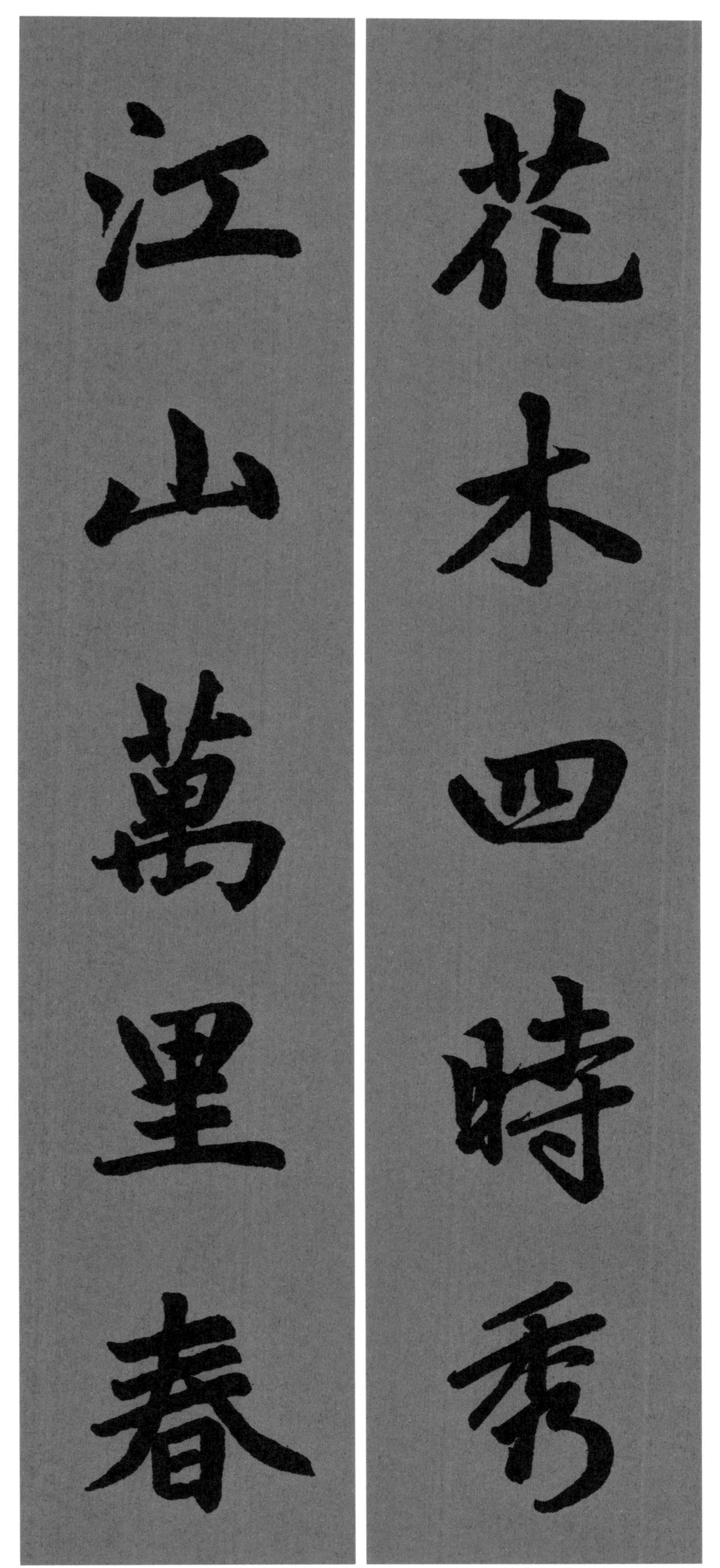

上联—花木四时秀
下联—江山万里春

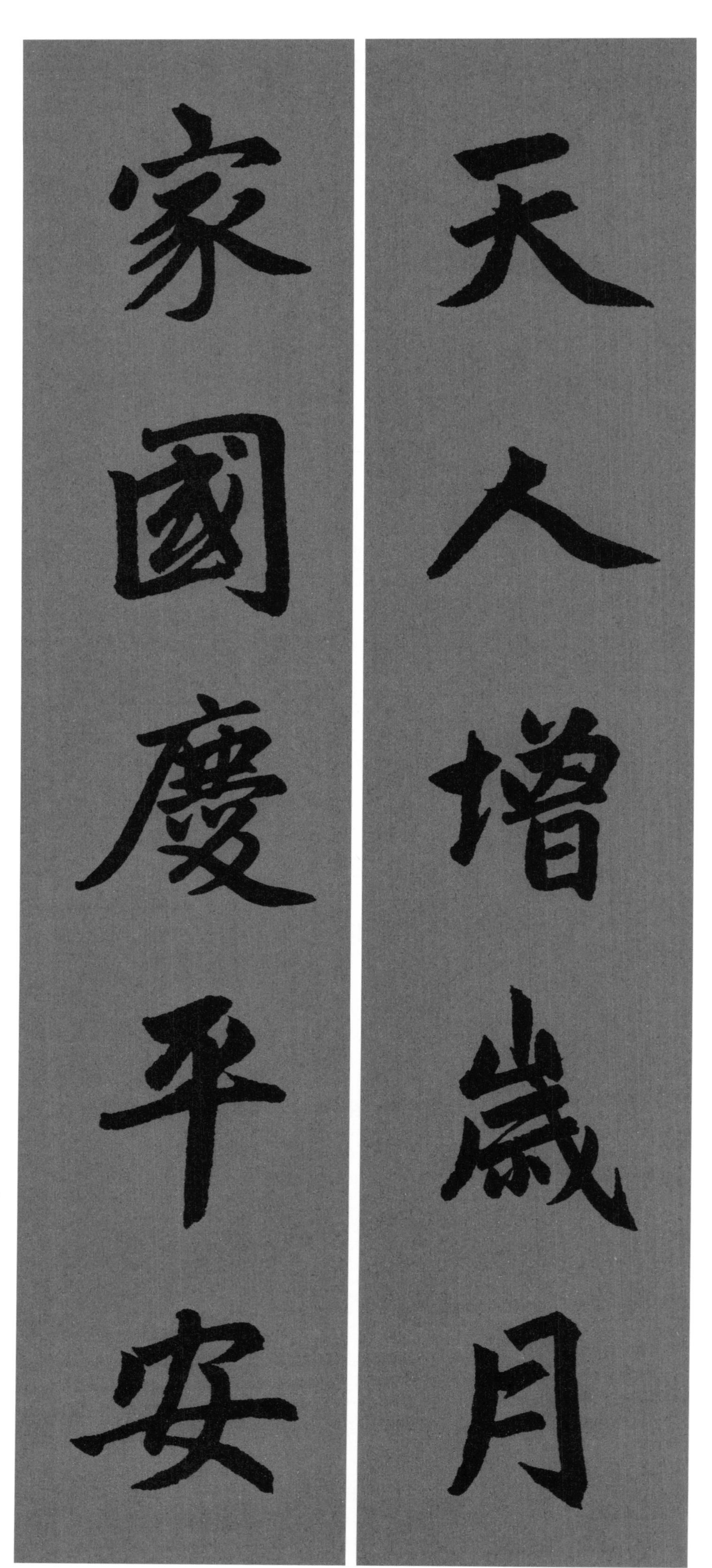

上联—天人增岁月
下联—家国庆平安

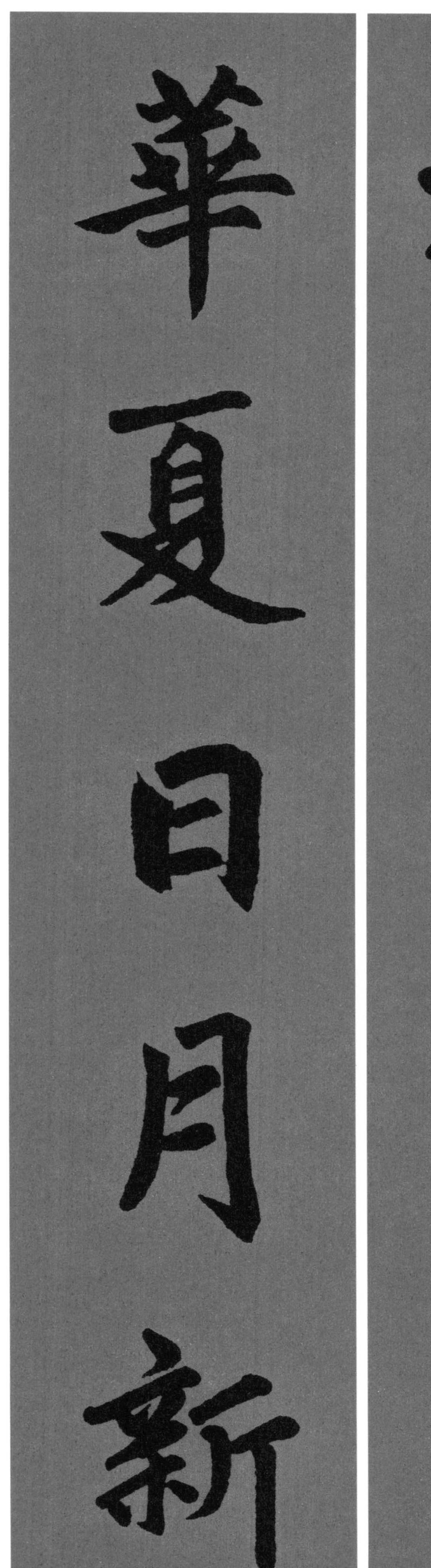

上联—祖国山河秀
下联—华夏日月新

上联：文明新世界
下联：华夏好河山

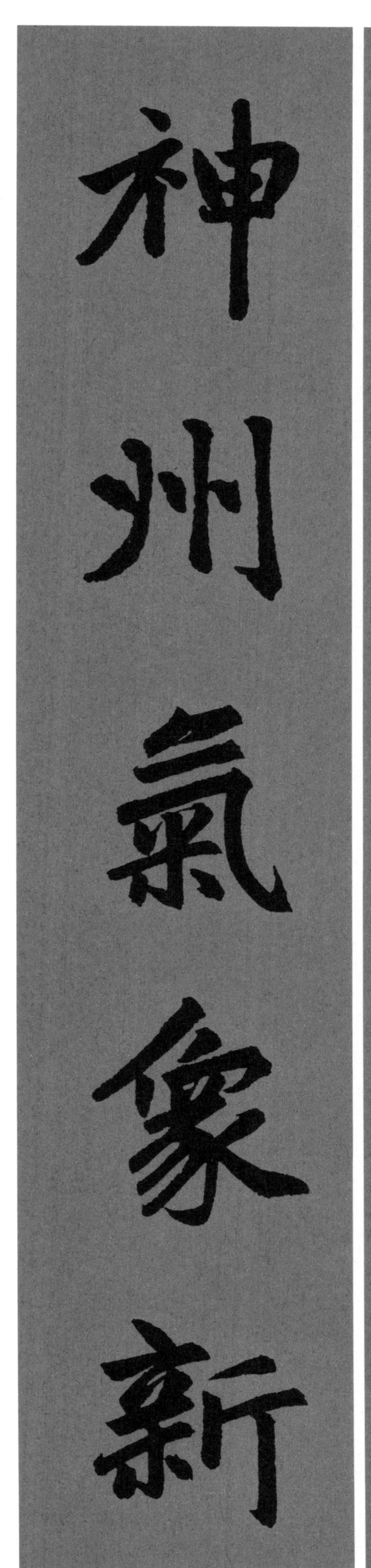

上联一 祖国春光好
下联一 神州气象新

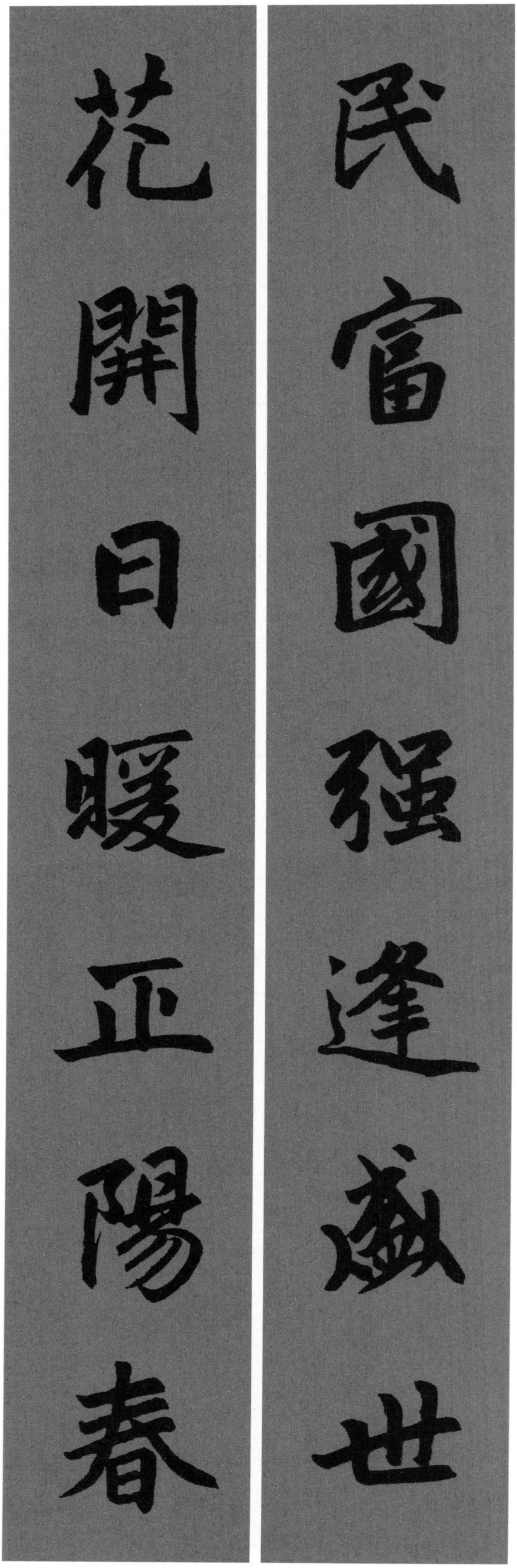

民富國强逢盛世

花開日暖正陽春

上联—民富国强逢盛世
下联—花开日暖正阳春

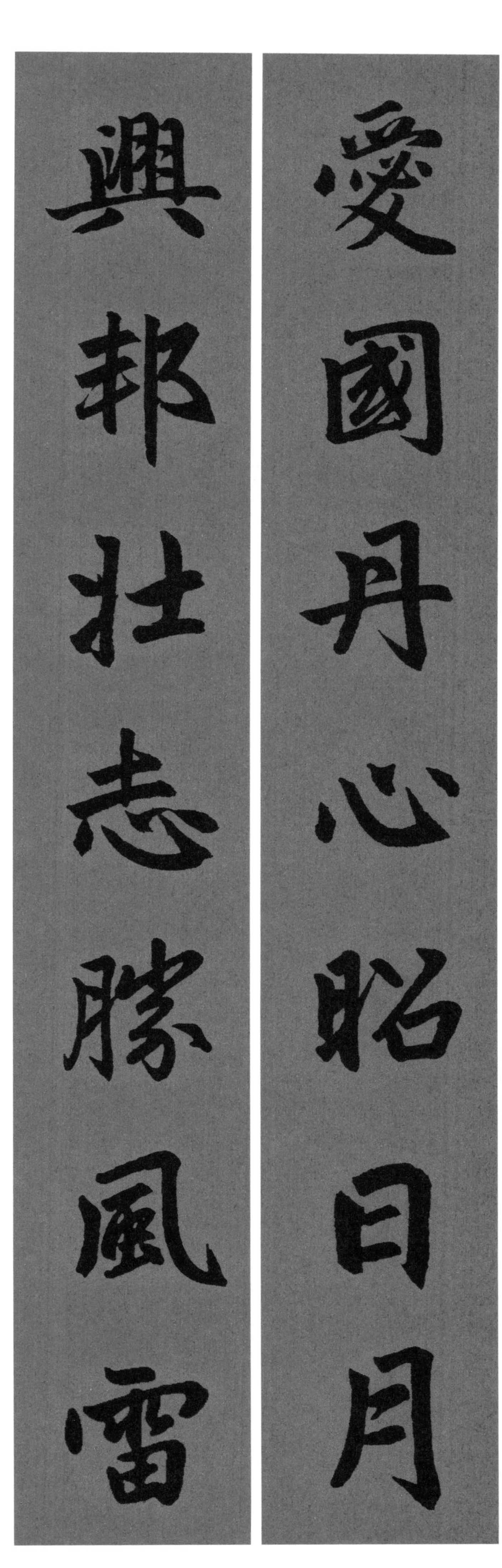

上联一 爱国丹心昭日月
下联一 兴邦壮志胜风雷

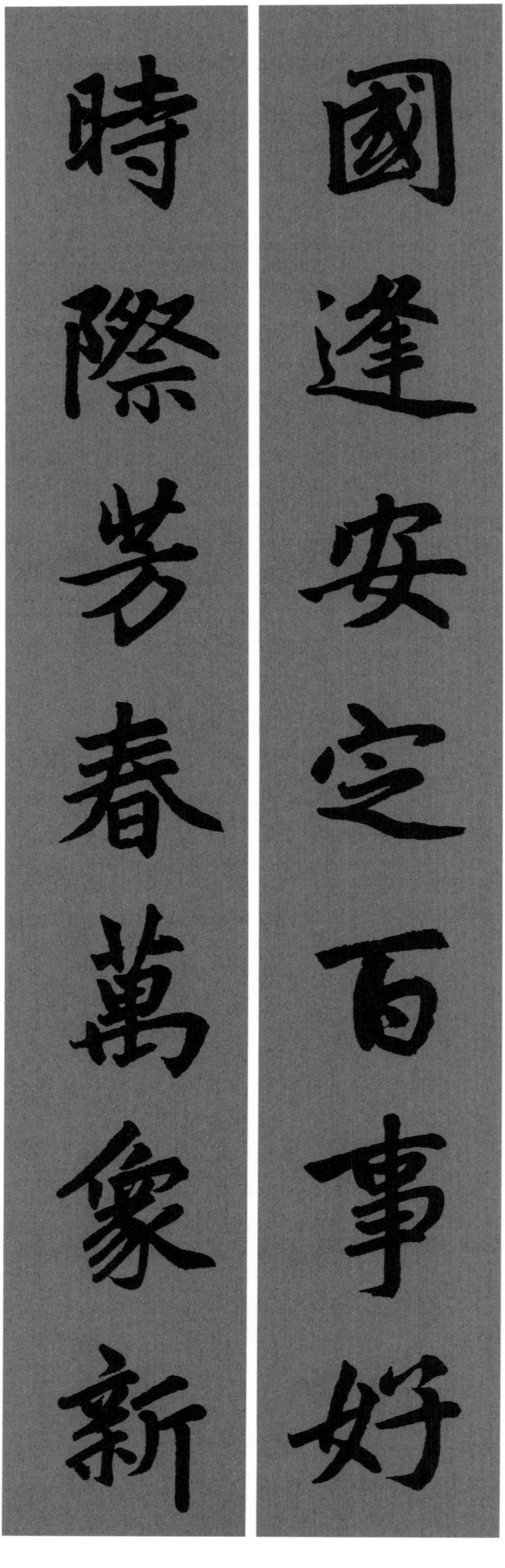

國逢安定百事好

時際芳春萬象新

上联—国逢安定百事好
下联—时际芳春万象新

上联—阳开泰运逢盛世
下联—国遇和风庆升平

山川秀美和諧頌

社會安寧友愛歌

上联—山川秀美和谐颂
下联—社会安宁友爱歌

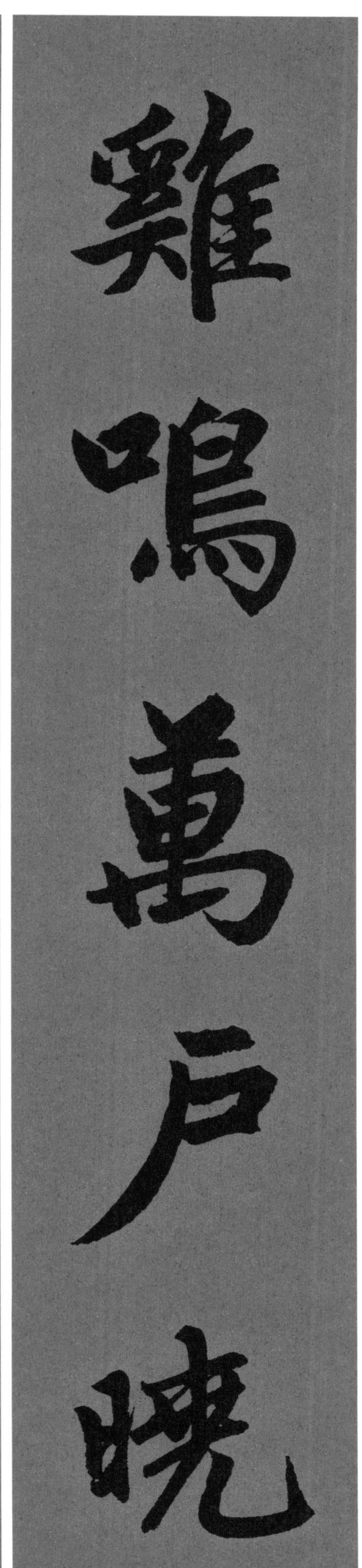

上联—鸡鸣万户晓
下联—燕舞四时春

靈羊賜福去

大聖迎春來

上联：灵羊赐福去
下联：大圣迎春来

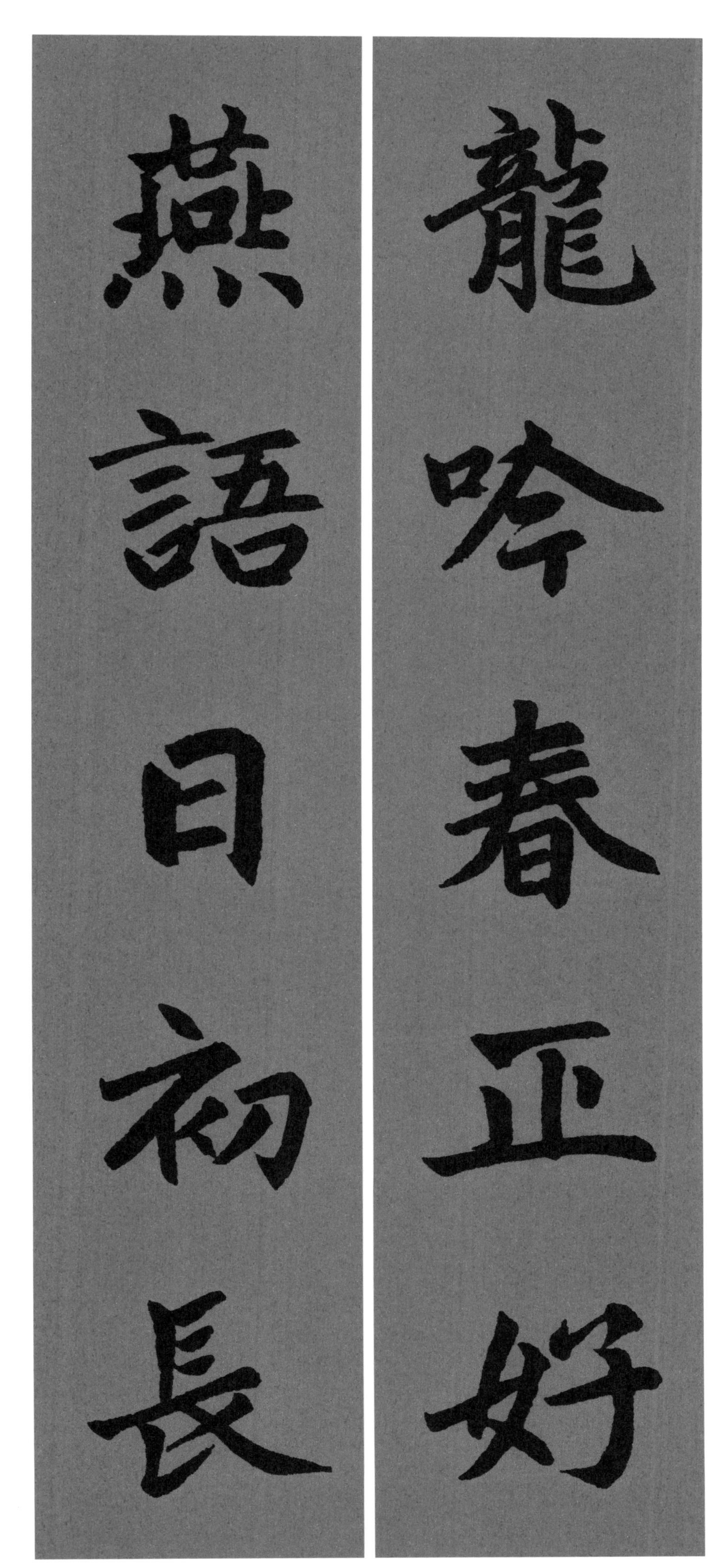

上联—龙吟春正好
下联—燕语日初长

上联｜三春开盛纪
下联｜万马会新年

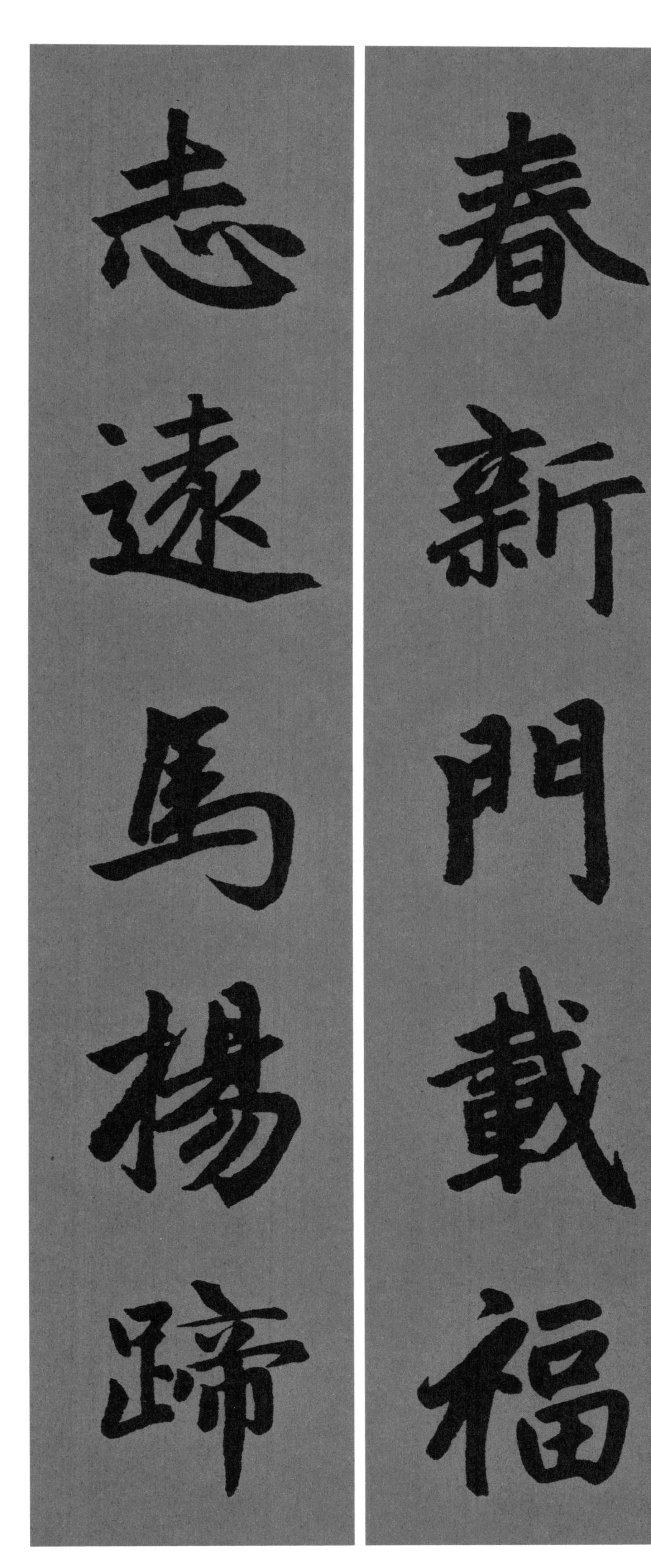

上联—春新门载福
下联—志远马扬蹄

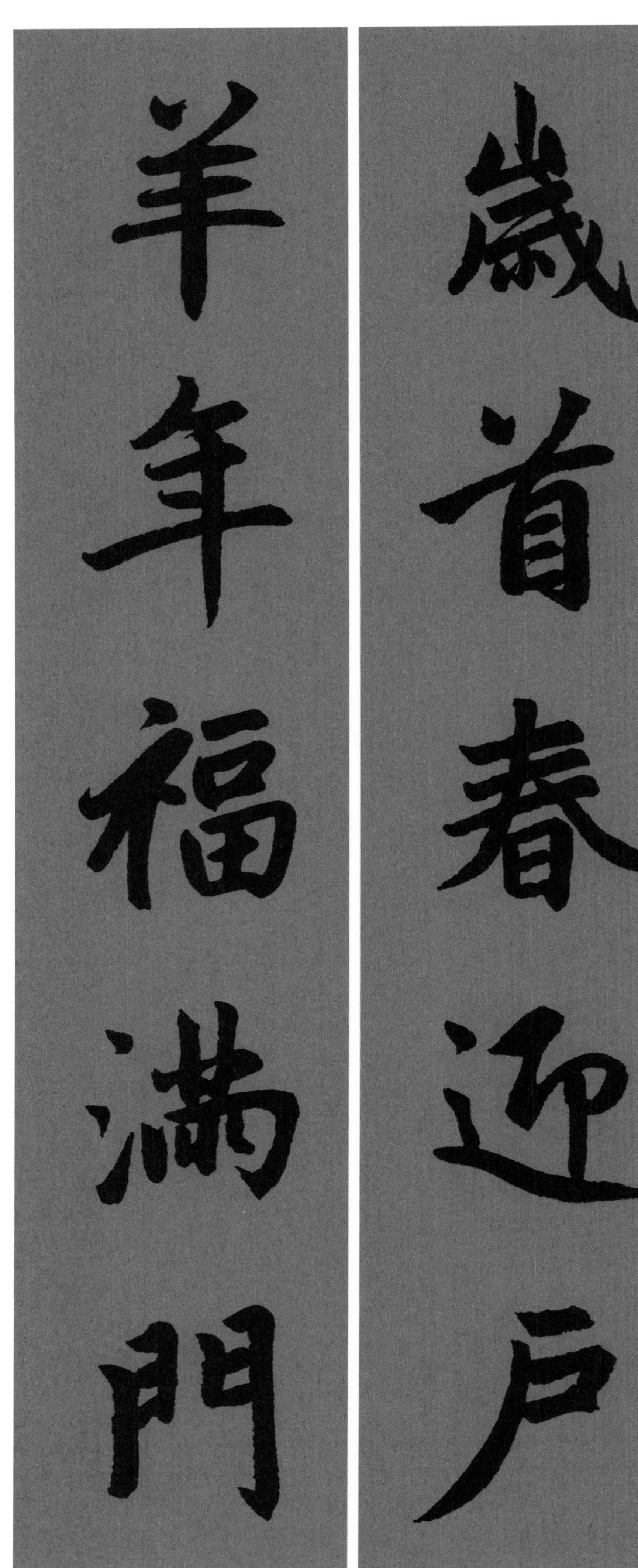

上联 岁首春迎户
下联 羊年福满门

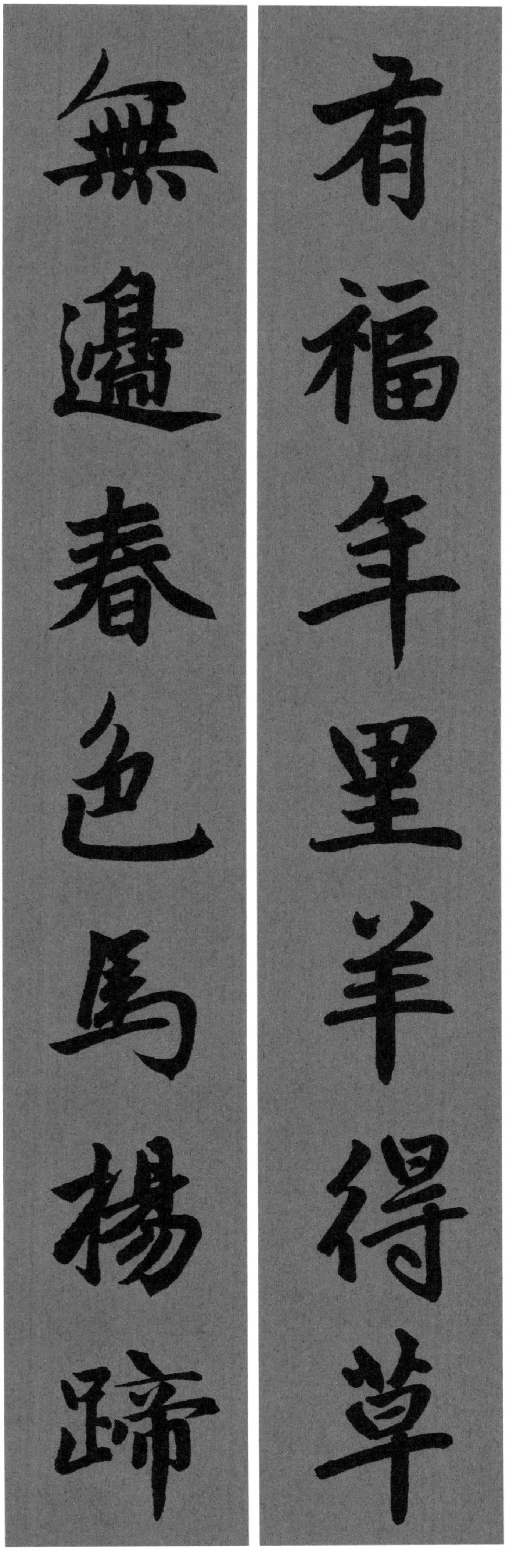

有福年里羊得草

無邊春色馬揚蹄

上联 — 有福年里羊得草
下联 — 无边春色马扬蹄

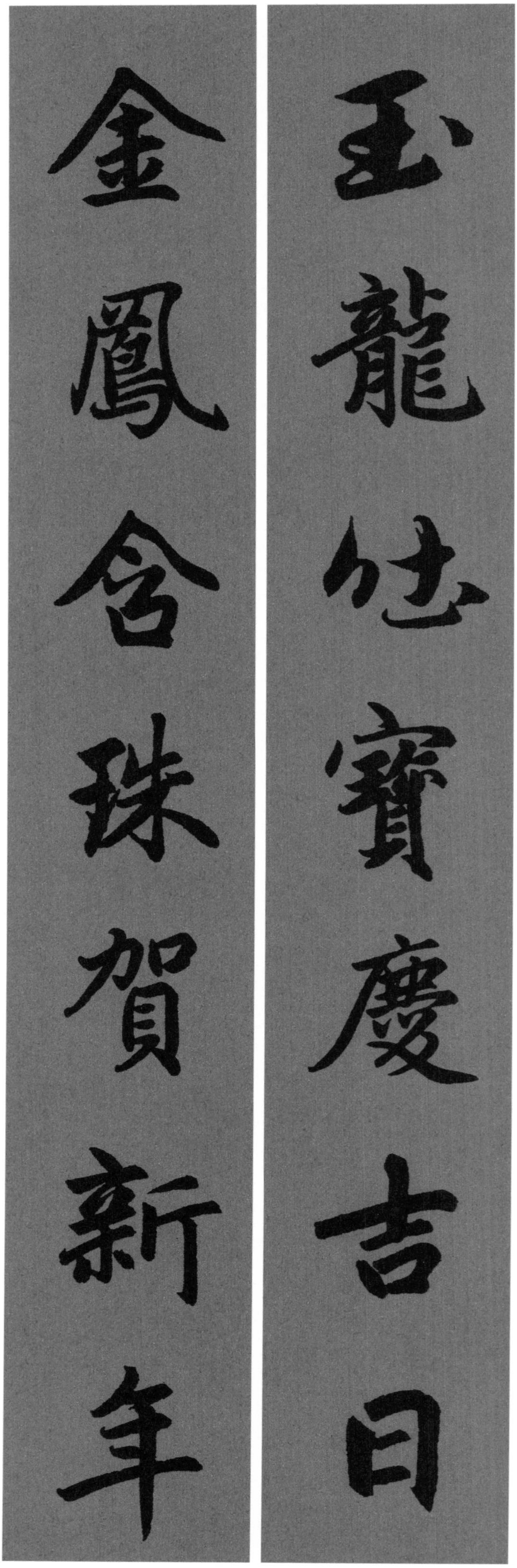

玉龍吐寶慶吉日

金鳳含珠賀新年

上联—玉龙吐宝庆吉日

下联—金凤含珠贺新年

上联一春雨多情绿大地
下联一金龙展志壮神州

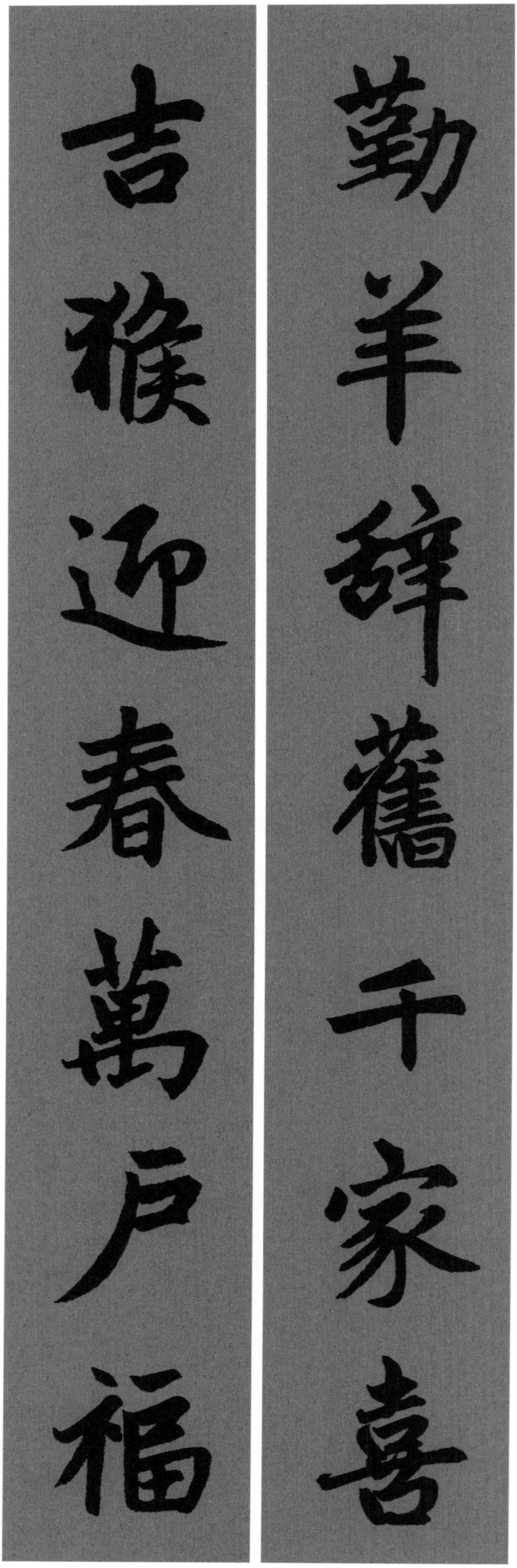

勤羊辞舊千家喜

吉猴迎春萬户福

上联—勤羊辞旧千家喜
下联—吉猴迎春万户福

横披| 四季呈祥

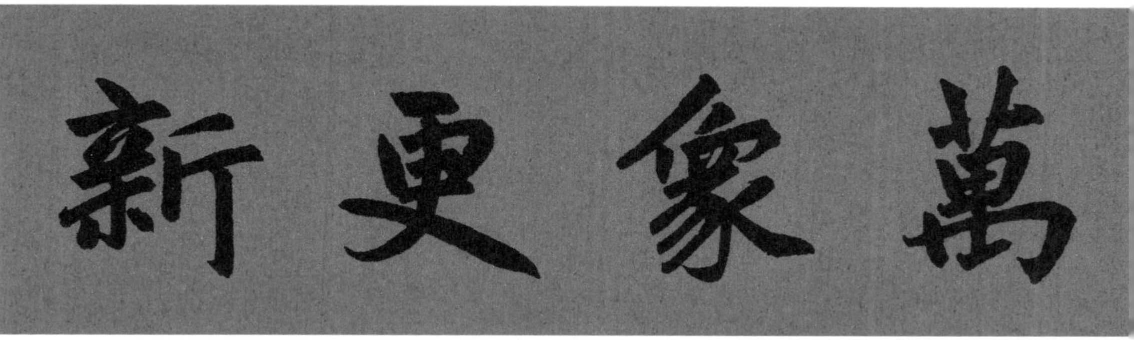

横披| 万象更新

横披| 国泰民安

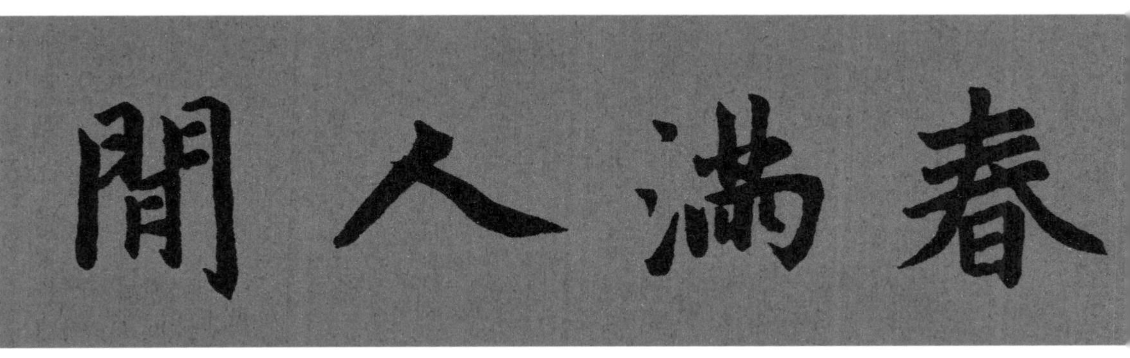

横披| 春满人间

横披｜ 喜气盈门

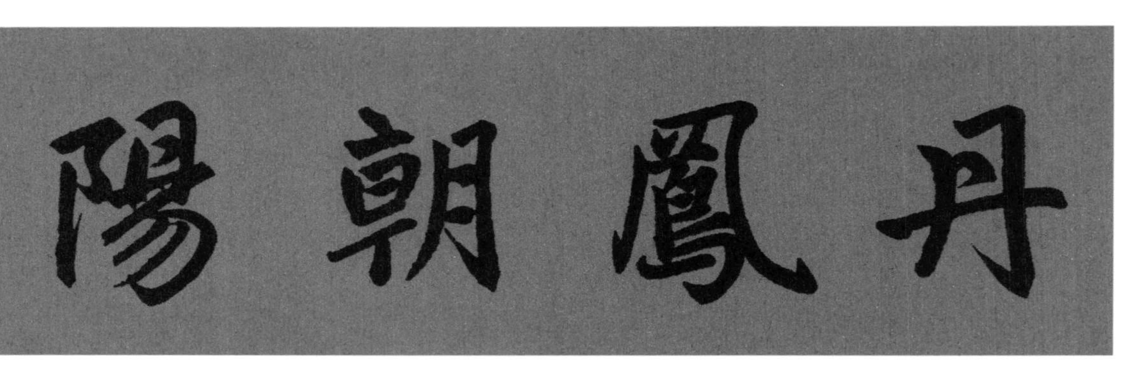

横披｜ 丹凤朝阳

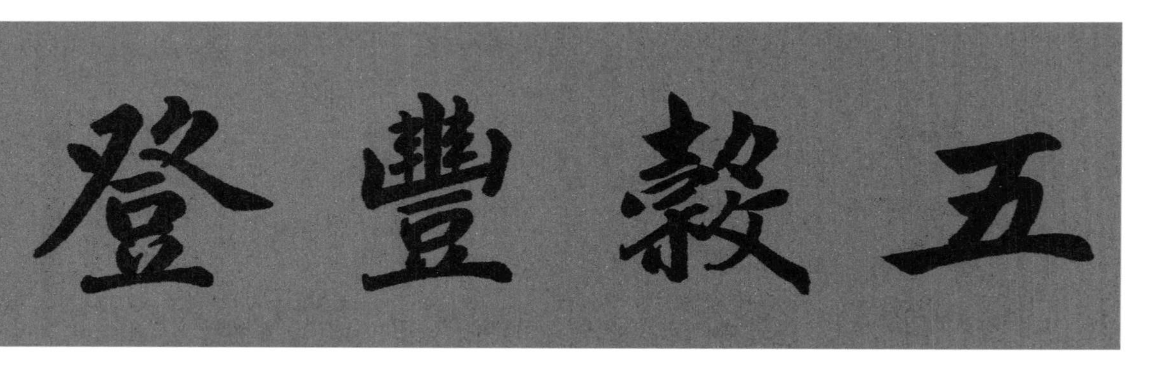

横披｜ 五谷丰登

小贴士

通用——万象更新、春迎四海、一元复始、春满人间、万象呈辉、瑞气盈门、万事如意；
丰收——五谷丰登、风调雨顺、时和岁丰、物阜民康、雪兆年丰、春华秋实、吉庆有余；
福寿——福乐长寿、五福齐至、紫气东来、寿山福海、益寿延年、福缘善庆、福寿康宁；
文化——惠风和畅、千祥云集、鸟语花香、日月生辉、瑞气氤氲、正气盈门、江山如画；
行业——百花齐放、业精于勤、业广惟勤、万事如意、千秋大业；
爱国——振兴中华、江山多娇、大好河山、气壮山河、瑞满神州、祖国长春；
生肖——闻鸡起舞、灵猴献瑞、龙腾虎跃、龙兴华夏、万马争春。

图书在版编目(CIP)数据

赵孟頫楷书集字春联/沈菊编.--上海:上海书画出版社,2016.12

(春联挥毫必备)

ISBN 978-7-5479-1375-8

Ⅰ.①赵… Ⅱ.①沈… Ⅲ.①楷书-法帖-中国-元代

Ⅳ.①J292.25

中国版本图书馆CIP数据核字(2016)第283685号

赵孟頫楷书集字春联

春联挥毫必备

沈菊　编

责任编辑　张恒烟

审　　读　雍　琦

责任校对　郭晓霞

技术编辑　包赛明

出版发行　上海世纪出版集团

　　　　　上海书画出版社

地址　上海市闵行区号景路159弄A座4楼

邮政编码　201101

网址　www.shshuhua.com

E-mail　shcpph@163.com

制版　上海文高文化发展有限公司

印刷　浙江海虹彩色印务有限公司

经销　各地新华书店

开本　787×1092　1/12

印张　6.67

版次　2016年12月第1版　2023年4月第6次印刷

印数　19,501-22,300

书号　ISBN 978-7-5479-1375-8

定价　35.00元

若有印刷、装订质量问题，请与承印厂联系